中華國學經典百部
精華本

千家诗

〔宋〕谢枋得 〔明〕王相 选编
白雯婷 译注

中国书店

图书在版编目（CIP）数据

千家诗 /（宋）谢枋得，（明）王相选编；白雯婷译注 . —北京：中国书店，2023.10
（中华国学经典百部：精华本）
ISBN 978-7-5149-2963-8

Ⅰ . ①千… Ⅱ . ①谢… ②王… ③白… Ⅲ . ①古典诗歌—诗集—中国 Ⅳ . ① I222.72

中国版本图书馆 CIP 数据核字（2022）第 075466 号

千家诗

〔宋〕谢枋得 〔明〕王相 选编 白雯婷 译注

责任编辑：卢玉珊

出版发行：中国书店
地 址：北京市西城区琉璃厂东街 115 号
邮 编：100050
电 话：（010）63171753（总编室）
（010）63017857（发行部）
印 刷：三河市嘉科万达彩色印刷有限公司
开 本：787mm × 1092mm 1/32
版 次：2023 年 10 月第 1 版第 1 次印刷
字 数：138 千
印 张：6（全 300）
书 号：ISBN 978-7-5149-2963-8
定 价：1490.00 元（全 50 册）

前言

《千家诗》是在宋代文学家谢枋得《重定千家诗》和明末清初学者王相所选《五言千家诗》基础上合并而成。

谢枋得（1226—1289），字君直，号叠山，信州弋阳（今属江西）人，南宋末年爱国诗人。他与文天祥同科中进士，曾率兵抗击元军，城破之后流亡隐居。元朝建立后，地方官强制送他到大都（今北京）为朝廷效力，谢枋得不改其志，最终绝食而死。王相，生卒年不详，大约生活于明末清初时期，曾编辑和注释过多部启蒙书籍。

《千家诗》是我国古代带有启蒙性质的诗歌选本。它具有两个特点，一是名家名作，所选诗作的作者大多都在中国古代文学史中占有重要的位置；二是诗文优美，浅近自然，是很好的诗歌启蒙读物。

同时，《千家诗》所选的诗歌大多是唐宋时期的作品，且题材十分广泛，咏物题画、山水田园、赠友送别、思乡怀人、登高吊古、侍宴应制，无所不包，较为全面地展现了唐宋时代的社会形态，以及当时的风俗人情，典故趣事。因此，这本书在民间广泛流传，产生了非常深远的影响。

几百年来，《千家诗》受到人们的推崇。因为品读《千家诗》如踏入桂冠云集的殿堂，出席一场精神的盛宴。

翻开《千家诗》，一股清新秀雅的香风缥缈而来，“疏影横斜水清浅，暗香浮动月黄昏”的孤高冷艳，“漠漠水田飞白鹭，阴阴夏木啭黄鹂”的灵动婉转，“水晶帘动微风起，满架蔷薇一院香”的脉脉芬芳，让你知道，什么是脱俗。

翻开《千家诗》，一种温暖浸润于字里行间，“千门万户曈曈日，总把新桃换旧符”的民间风俗，“借问酒家何处有，牧童遥指杏花村”的村落景象，“桑柘影斜春社散，家家扶得醉人归”的田园生活，让你知道，什么是真实。

翻开《千家诗》，一抹浓重的色彩映入眼帘，“云想衣裳花想容，春风拂槛露华浓”的富贵艳丽，“等闲识得东风面，万紫千红总是春”的明媚多彩，“晴川历历汉阳树，芳草萋萋鹦鹉洲”的蓬勃繁茂，让你知道，什么是绚丽。

当然，翻开《千家诗》，最是那一份在心头碰撞的默契，惹人魂牵梦萦。“沾衣欲湿杏花雨，吹面不寒杨柳风”的恬然，“天上碧桃和露种，日边红杏倚云栽”的不平，“有约不来过夜半，闲敲打棋子落灯花”的无聊，“白发三千丈，缘愁似个长”的苦闷，“今日水犹寒”的追思，“遥怜故园菊”的牵挂，还有青青客舍旁的垂柳，寒山寺传来的钟声……这一切，让你知道，什么是多情！

把《千家诗》拿在手中，轻轻翻动，你就慢慢走进了诗人的世界，了解他们的生活，感受他们的际遇，倾听他们的诉说，随他们一起登高望远，浅吟低唱，举杯畅饮……

目录

七言绝句

七言律诗

五言绝句

五言律诗

七言绝句

春日偶成[①]

程颢

云淡风轻近午天[②]，傍花随柳过前川[③]。
时人不识余心乐[④]，将谓偷闲学少年[⑤]。

【作者简介】

程颢（1032—1085），字伯淳，洛阳（今河南洛阳）人。北宋哲学家、教育家。程颢和弟弟程颐曾跟随周敦颐学习，世称“二程”，二人后来成为北宋理学的奠基者，其学说在理学发展史上占有重要地位，后来为朱熹所继承和发展，世称“程朱学派”。

【注释】

①偶成：不经意写成的诗。

②云淡：云层淡薄，指晴朗的天气。午天：指中午。

③傍花随柳：依傍于花柳之间。傍，一作“望”。傍，靠近、依靠。随，沿着。川：瀑布或河畔。

④时人：一作“旁人”。余心：我的心。

⑤将谓：就以为。将，乃、于是、就。偷闲：忙中抽出空闲的时间。

【译文】

淡淡的白云在空中飘，风儿轻轻地吹拂着人的脸颊，正午时分日光转暖。我在花丛中穿行，顺着一行绿柳不知不觉间来到了前面的河边。当时的人不理解我内心的快乐，还以为我学那些到处游荡玩耍的少年呢。

春日

朱熹

胜日寻芳泗水滨[①]，无边光景一时新[②]。
等闲识得东风面[③]，万紫千红总是春。

【作者简介】

朱熹（1130—1200），字元晦，又字仲晦，号晦庵，晚称晦翁，祖籍江南东路徽州府婺源县（今江西婺源），出生于南剑州尤溪（今福建尤溪）。朱熹是北宋学者程颢、程颐后世弟子李侗的学生，后来成为南宋著名理学家、思想家、哲学家、教育家、诗人，闽学派的代表人物，儒学集大成者。曾为宋宁宗讲学。

【注释】

①胜日：指春光明媚的好日子。寻芳：春游赏花。泗水：水名，在山东中部，源于泗水县，流入淮河。滨：水边，河边。

②光景：风光景物。

③等闲：平常，轻易。“等闲识得”是容易识别的意思。东风：春风。

【译文】

在一个春风和煦的日子里，我到泗水的岸边游玩，大自然无限风光都焕然一新。在春风吹拂中，百花盛开，姹紫嫣红，到处都是春的点染。

春宵[①]

苏轼

春宵一刻值千金[②]，花有清香月有阴[③]。
歌管楼台声细细[④]，秋千院落夜沉沉。

【作者简介】

苏轼（1037—1101），字子瞻，号东坡居士，眉州眉山（今四川眉山）人。北宋文学家、书画家。一生仕途坎坷，学识渊博，天资极高，诗文书画皆精。他的散文汪洋恣肆，与唐代的韩愈、柳宗元，宋代的欧阳修、苏辙、苏洵、王安石、曾巩合称为“唐宋八大家”；词气势恢宏，开豪放一派，对后世有巨大影响，与辛弃疾并称“苏辛”；书法擅长行书、楷书，与黄庭坚、米芾、蔡襄并称“宋四家”。著有《苏东坡全集》和《东坡乐府》等。

【注释】

①春宵：春夜。

②一刻：比喻时间短暂。刻，古代计时单位，古代用漏壶计时，一昼夜共分为一百刻。

③花有清香：花朵散发出清香。月有阴：花在月光照射下投射出朦胧的影子。

④歌管：歌声和管乐声。

【译文】

春夜良宵，再短暂的时间也是极为珍贵的。花儿散发阵阵迷人的幽香，月光洒在花儿身上，投下朦胧的阴影。妙曼歌声和悦耳的奏乐声依稀弥散在这夜色中。夜阑人静之时，垂着秋千的庭院寂静无声。

城东早春①

杨巨源

诗家清景在新春②，绿柳才黄半未匀。
若待上林花似锦③，出门俱是看花人。

【作者简介】

杨巨源，字景山，后改名巨济，河中（今山西永济）人。唐代诗人，唐德宗贞元五年（789）进士。

【注释】

①城：指唐代京城长安。

②诗家：诗人。清景：清秀美丽的景色。

③上林：上林苑，汉代宫苑，此处指长安城。锦：五色织成的绸绫。

【译文】

每年的初春时节，万象更新，是诗人描绘美景的好时节。这时候，枝条上刚吐出来的嫩芽一抹淡黄，浅浅的鹅黄新绿，还没有均匀。如果进入仲春，林苑里一派繁花似锦，再出门一看，到处都是游春赏花的人，到那时再想要欣赏春天美景岂不是有些太迟了。

春夜

王安石

金炉香尽漏声残[1]，剪剪轻风阵阵寒[2]。
春色恼人眠不得[3]，月移花影上栏杆。

【作者简介】

王安石（1021—1086），字介甫，号半山，谥文，封荆国公，世人又称王荆公，抚州临川人（今江西抚州）。北宋著名政治家、思想家、文学家、改革家，“唐宋八大家”之一。

【注释】

①漏：古代计时用的漏壶。

②剪剪：形容初春的风，轻而带有寒意。

③春色恼人：春色撩人。

【译文】

夜深了，香炉里的香慢慢燃尽，滴漏中里的水也快要滴完了。夹着阵阵寒意的轻风让人觉得晓寒微侵。春天的景色最撩动人心，随着明月东升，花沐浴在月光下的影子已悄悄地爬上了栏杆。

初春小雨[①]

韩愈

天街小雨润如酥[②]，草色遥看近却无。
最是一年春好处[③]，绝胜烟柳满皇都[④]。

【作者简介】

韩愈（768—824），字退之，河阳（今属河南）人。唐代文学家、哲学家、思想家。他与柳宗元同为古文运动的倡导者，主张学习先秦两汉的散文风格，破骈体为散体，扩大文言文的表达能力。苏轼称赞他“文起八代之衰”，明代人推举他为“唐宋八大家”之首。

【注释】

①诗题又作《早春呈水部张十八员外》。呈：恭敬地送给。水部张十八员外：指唐代诗人张籍（766—830）。他在同族兄弟中排行第十八，曾任水部员外郎。水部此处代指工部。此时韩愈是吏部侍郎。

②天街：朱雀大街，长安城的中轴线。润如酥：滋润如酥。酥，奶酪，这里形容春雨的滋润。

③最是：正是。处：时。

④绝胜：远远胜过。皇都：长安。

【译文】

初春丝雨纷纷，落在京城的街道上空，轻柔而滋润，浅绿的小草长出地面，远远望去，草色依稀连成一片，近看时却显得十分稀疏。一年之中最美的景色莫过于此，肯定好过绿杨满城的暮春时节。

元日①

王安石

爆竹声中一岁除②，春风送暖入屠苏③。
千门万户曈曈日④，总把新桃换旧符⑤。

【注释】

①元日：农历正月初一，即春节。

②爆竹：古人烧竹子时发出的爆裂声。用来驱鬼逐邪，后来演变成放鞭炮。一岁除：一年已尽。除，去。

③屠苏：药酒名。古代习俗，大年初一全家合饮这种用屠苏草浸泡的酒，以驱邪避瘟疫，求得长寿。

④曈曈（tóng）：日出时光亮而温暖。

⑤桃：桃符，古代一种风俗，农历正月初一时人们在桃木板上写上神灵的名字或画上神像，悬挂在门旁，用来避邪，后来演化成春联。

【译文】

在鞭炮声声中，人们送走旧的一年，迎来了新的一年。迎着和煦的春风，痛快地喝着难得的美酒。温暖的阳光里，千家万家喜气洋洋，过新年的时候，人们纷纷把旧桃符取下来，换上了新的，欢乐地迎接新春的到来。

上元侍宴①

苏轼

淡月疏星绕建章②，仙风吹下御炉香。
侍臣鹄立通明殿③，一朵红云捧玉皇。

【注释】

①上元：农历正月十五。侍宴：臣子赴皇帝的宴会。

②建章：宫殿名。

③鹄（hú）立：肃立。通明殿：宫殿名。

【译文】

月色朦胧里，可以看到建章宫被包裹在其中，点点星光仿佛点缀在宫阙的上空。皇宫里香烟缭绕，让人感到身处仙境一般。文武百官毕恭毕敬地站在通明殿的前面，等候皇帝驾临。这情景就同天宫中一朵朵红云拱卫着玉皇大帝一般。

立春偶成

张栻

律回岁晚冰霜少[①]，春到人间草木知。
便觉眼前生意满[②]，东风吹水绿参差[③]。

【作者简介】

张栻（1133—1180），字敬夫，号南轩，祖籍汉州绵竹（今属四川），南宋中兴名将张浚之子。宋代著名理学家和教育家。与朱熹、吕祖谦交往密切，时称“东南三贤”。

【注释】

①律回：节令回转，即大地回春。律，律历，古代以十二乐律配十二月令。相传黄帝命伶伦（古代乐官名）断竹为筒（后人也用金属管），以定音和候十二月之气。阳六为律，即黄钟、太簇、姑洗、蕤宾、夷则、无射；阴六为吕，即大吕、夹钟、仲吕、林钟、南吕、应钟。农历十二月属吕，正月属律，一般情况下，立春都在十二月与一月之交，所以称为“律回”。岁晚：民间把立春赶在春节以前称作内春，所以叫岁晚。

②生意：生机。

③参差：不齐的样子，这里指的是风吹绿水所产生的水纹。

【译文】

立春了，天气转暖，严酷的冰冻霜雪虽然还有，但也只是偶尔出现了。草木也感知到春天即将回归大地，一片新绿映入眼帘，让人感到蓬勃的生机。一阵春风吹过池塘，水面层层碧波，荡起涟漪。

打球图

晁说之

阊阖千门万户开[①]，三郎沉醉打球回[②]。
九龄已老韩休死[③]，无复明朝谏疏来[④]。

【作者简介】

晁（cháo）说（yuè）之（1059—1129），字以道，一字伯以，济州巨野（今山东巨野）人。宋神宗元丰年间进士，因倾慕司马光的才学与人品，自号景迂生（司马光号迂叟），善画山水，能诗文。

【注释】

①阊阖（chāng hé）：宫门。

②三郎：唐玄宗李隆基的幼名，因其为唐睿宗第三子，所以称为三郎。

③九龄：张九龄（673—740），唐玄宗时贤相，刚正不阿，敢于进谏，后来遭谗言罢相，有人把他的离朝作为唐朝由盛而衰的迹象之一。韩休（672—739）：也是唐玄宗前期忠诚且敢于直谏的名相。

④谏：直言规劝，一般用于下对上。疏：上给皇帝的奏议。

【译文】

皇宫的大门依次打开，唐玄宗蹴完球并喝得醉醺醺地回宫来了。如今张九龄老了，韩休已不在人世，没有敢直言进谏的贤臣来劝说皇帝了。

宫词

王建

金殿①当头紫阁重，仙人掌上玉芙蓉②。
太平天子朝元日，五色云车驾六龙。

【作者简介】

王建，字仲初，颍川（今河南许昌）人，唐代著名诗人。其作有《宫词》百首。现存《王建诗集》《王司马集》等，以及《宫词》一卷。

【注释】

①金殿：即皇宫的正殿，亦叫金銮殿。

②玉芙蓉：芙蓉形状的承露盘，以红玉磨制而成。

【译文】

巍峨轩昂的金銮殿里，重重叠叠的朝元阁中，仙人托着芙蓉状的承露盘来往穿梭。太平盛世的天子驾着五彩缤纷的车，在正月初一朝拜天帝。

廷试

夏竦

殿上衮衣①明日月，砚中旗影动龙蛇。
纵横礼乐三千字，独对丹墀②日未斜。

【作者简介】

夏竦（985—1051），字子乔，江州德安人。古文字学家，北宋大臣。著有《文庄集》。

【注释】

①衮（gǔn）衣：古代君王等的礼服，其上绘有龙的图案。

②丹墀(chí)：指宫殿的赤色台阶或赤色地面。

【译文】

帝王坐在殿堂上进行殿试，明亮灿烂如天上的日月，砚台中旌旗的影子，犹如龙蛇一般蠕动。应试之人一挥而就，下笔如有神。考试结束时，殿前台阶上的太阳还没有西斜。

咏华清宫

杜常

行尽江南数十程，晓风残月入华清。
朝元阁上西风急[1]，都入长杨作雨声[2]。

【作者简介】

杜常，生卒年不详，字正甫，卫州(今河南汲县)人。其以诗鸣于世。《咏华清宫》流传至今。

【注释】

①朝元阁：指唐朝宫殿，位于华清宫之内。

②长杨：即长杨宫。因宫内种有数亩白杨树，故以此命名。

【译文】

跋涉过数十个驿站，结束了江南的漫漫路程，终于在天亮之前，抵达了华清宫。朝元阁上西风凛冽，一片荒凉，长杨宫的白杨树林里也冷风阵阵，雨声萧萧。

清平调词[1]

李白

云想衣裳花想容，春风拂槛露华浓[2]。
若非群玉山头见[3]，会向瑶台月下逢[4]。

【作者简介】

李白（701—762），字太白，号青莲居士。祖籍陇西成纪（今甘肃静宁西南），隋朝末年，他的祖上流居位于今天吉尔吉斯斯坦北部的碎叶。李白幼年随父亲迁居绵州昌隆县（今四川江油）青莲乡。二十五岁时，李白辞亲远游，仗剑出蜀。天宝初年，李白来到都城长安。后来他拜见贺知章，并把自己的诗作呈上。看过他的作品后，贺知章惊叹道："子谪仙人也！"并在玄宗面前极力推荐李白。玄宗召见李白后十分赏识，赐膳并亲自为他调羹，诏供奉翰林。后因得罪高力士等权贵，遭到谗言毁谤，李白恳请还山，玄宗赐金放还。他离朝后浪迹江湖，饮酒作诗。后来他被永王李璘请去做幕僚，李璘发动叛乱兵败，李白也受到牵连，被放逐夜郎，后来被赦免而回。李白是中国历史上最杰出的浪漫主义诗人。其作品天马行空，浪漫奔放，意境奇异。他被人尊称为"诗仙"，并与同时期的著名诗人杜甫合称"李杜"。

【注释】

①清平调：一种歌的曲调。天宝二年（743），李白待诏翰林，唐玄宗与杨贵妃赏牡丹，命李白赋诗。李白作《清平调》三章，这是其中一首，用比喻、拟人等手法，以娇艳的牡丹与杨贵妃相互比喻，又将杨贵妃比作仙女下凡，赞其美貌。

②槛：有格子的门窗。华：通"花"。

③群玉山：神话中的仙山，传说是西王母居住的地方。

④会：应。瑶台：传说中仙子居住的地方。

【译文】

看到彩云就让人想起她的衣裳，看到美丽的花朵就让人想起她的颜容，春风轻轻拂过栏杆，她的美貌就像牡丹在露珠的滋润下花色变得更加艳丽一样。如此天姿国色，只有群玉山头，或是瑶台月下才能见得到。

题邸间壁[①]

郑会

茶藨香梦怯春寒[②]，翠掩重门燕子闲[③]。
敲断玉钗红烛冷[④]，计程应说到常山。

【作者简介】

郑会，字文谦，号亦山，贵溪（今属江西）人。少年时曾跟随朱熹、陆九渊学习。宋宁宗嘉定四年（1212）进士，官至礼部侍郎。

【注释】

①邸（dǐ）：旅社。

②荼蘼（tú mí）：一作“酴醾”，花名。明代介绍栽培植物的著作《群芳谱》中说，“色黄如酒，固加酉字作‘酴醾’”。

③翠：指门上漆的绿色。掩：关起来。重门：一层层的门。闲：安娴。

④玉钗：指烛花，形状像头上戴的玉钗。红烛冷：指蜡烛的光越来越微弱。

【译文】

早春的深夜，寒意犹存，我在梦里闻到了荼蘼清香，醒来之后，只见花木一片新绿色，掩映着院门。燕子也安闲地歇息了。由于无聊，妻子敲着玉钗，以至于不小心将玉钗敲断了。夜深了，暗淡的烛光里，房中更显清冷，算一算出门人的行程，估计他们现在应该走到常山了吧。

绝句

杜甫

两个黄鹂鸣翠柳，一行白鹭上青天。
窗含西岭千秋雪[①]，门泊东吴万里船[②]。

【作者简介】

杜甫（712—770），字子美，自号少陵野老。河南府巩县（今河南巩义）人，唐代伟大的现实主义诗人，与李白合称“李杜”。他一生忧国忧民，一千四百余首诗作，多用沉痛的笔调记录“安史之乱”前后的那段历史，让人更清楚地了解当时的社会现实，因此他的诗被誉为“诗史”，他被世人尊为“诗圣”。

【注释】

①西岭：西岭雪山。千秋雪：指西岭雪山上千年不化的积雪。

②泊：停泊。东吴：古时候吴国的领地。万里船：不远万里开来的船只。

【译文】

翠色一片的杨柳枝头，两只黄鹂在婉转啼叫；在天空中，有一行白鹭直上云霄。依窗远眺，可以看见西岭峰顶终年不化的积雪，门口江边上，停泊着从江浙千里迢迢驶来的船只。

海棠①

苏轼

东风袅袅泛崇光②，香雾空蒙月转廊③。
只恐夜深花睡去，故烧高烛照红妆。

【注释】

①这首绝句写于元丰三年（1080），苏轼被贬黄州（今湖北黄冈）期间。前两句写环境，后两句写爱花心事。题为《海棠》，却并未对海棠做直接描写，而是一处曲笔。

②袅袅：形容微风吹拂的样子。泛：浮动。崇光：绚丽的光泽。

③空蒙：雾气迷蒙。廊：回廊。

【译文】

春风轻轻吹拂着海棠，花儿美妙艳丽，夜雾升起，花香融入了夜色。月光慢慢转过回廊。夜已很深，我担心海棠因为夜深而睡去，所以赶忙点起了蜡烛，照耀着海棠。

清明[1]

杜牧

清明时节雨纷纷，路上行人欲断魂[2]。
借问酒家何处有[3]，牧童遥指杏花村。

【作者简介】

杜牧（803—852），字牧之，号樊川，京兆万年（今陕西西安）人。晚唐著名诗人。曾任中书舍人，因中书省别名紫微省，所以又被人称为杜紫微。他在晚唐成就颇高，与李商隐齐名，人称“小李杜”。

【注释】

①清明：我国传统的扫墓节日，在阳历4月5日前后。

②欲断魂：形容伤感极深，好像灵魂要与身体分开一样。

③借问：请问。

【译文】

清明节的时候，我孤独地走在路上，天阴沉着，飘下了细雨，眼前迷蒙一片，衣衫也变得越发潮湿。行人们都神色黯然。我想找个酒家稍稍休息一下。可到哪里去找酒家呢？看路旁有一个骑在牛背上的小牧童，便向他询问，他悠然自得地用手指向前面——在那杏花村里，一面面酒旗飘动，正在招揽过路的行人。

清明

王禹偁

无花无酒过清明，兴味萧然似野僧[1]。

昨日邻家乞新火[2]，晓窗分与读书灯。

【作者简介】

王禹偁（954—1001），字元之，济州巨野（今山东巨野）人。北宋诗人，北宋诗文革新运动的先驱。文章风格清新平易，多反映社会现实。

【注释】

①兴味：兴趣、趣味。萧然：清静冷落。

②新火：唐宋习俗，清明前一日禁火，到清明节再起火，称为“新火”。

【译文】

今年的这个清明节过得十分冷清，既没有花可以观赏，也没有酒可畅饮，日子孤独清苦，就像荒山野庙里的和尚，一种寂寞悲凉的情绪油然而生。昨天，我从邻居家要来新点燃的火种，清明节一大早起来，就在窗前坐下来，点上灯火，安静地读书。

社日[1]

王驾

鹅湖山下稻粱肥，豚栅鸡栖对掩扉[2]。
桑柘影斜春社散[3]，家家扶得醉人归。

【作者简介】

王驾，字大用，自号守素先生，河中（今山西永济）人。晚唐诗人。曾官至礼部员外郎，后来弃官归隐。他的绝句构思巧妙，自然流畅。

【注释】

①社日：古代祭祀土地神的节日。春秋各一次，称为春社和秋社。

②豚栅：猪栏。鸡栖：鸡窝。扉：门。

③桑柘（zhè）：桑树和柘树。

【译文】

在鹅湖山下，成片的庄稼绿油油的，一看今年就有好收成。农家户户家禽家畜成群，关掩着柴扉。用来养蚕的桑树和柘树成片栽种，暮色降临了，树在地上的影子被渐渐拉长。春社里欢乐宴会到了很晚才渐渐散去，畅饮后人们在家人的搀扶下高高兴兴地回家去了。

寒食①

韩翃

春城无处不飞花，寒食东风御柳斜②。
日暮汉宫传蜡烛③，轻烟散入五侯家④。

【作者简介】

韩翃(hóng)，字君平，南阳(今河南南阳)人。唐代诗人。作诗笔法轻巧，写景词句十分别致，在当时传诵广泛。

【注释】

①寒食是中国传统节日，相传源于春秋时代的晋国，是为了纪念晋国的臣子介子推。春秋时期，晋国发生内乱，公子重(chóng)耳出逃，介子推忠心跟随重耳流亡数年。后来重耳返回晋国，成为春秋五霸之一的晋文公。介子推没有得到相应的封赏却毫无怨言，他后来辞去官职，携母隐居于山西绵山。后来晋文公对自己的行为十分后悔，于是亲自带人马前往绵山寻访。面对重峦叠嶂，晋文公求人心切，听信小人之言，下令三面烧山，想迫使介子推出现。谁料大火烧了三天后，发现介子推已抱树而死。后来为了纪念他，每年的这一天都禁止生火，以示追怀之意。寒食节一般在冬至后一百零五天，清明前两天。古人很重视这个节日，按风俗家家禁火，只吃现成食物，故名寒食。由于节当暮春，景物宜人，自唐至宋，寒食便成为游玩的最佳时节。

②御柳：御苑之柳，旧俗每于寒食折柳插门。

③蜡烛：按汉代的制度，这一天宫中钻新火燃烛以散予贵戚之臣。唐《辇

下岁时记》记述："清明日取榆柳之火以赐近臣。"

④五侯：汉成帝、桓帝时都曾封贵戚和功臣五人为侯，世称五侯，后来泛指权贵。

【译文】

到了暮春时节，漫天飞舞的杨花充满了整个长安城。寒食节到来，春风吹拂着宫中的柳枝。傍晚时分，宫中传送出新的火种，这个恩赐只会送到王公贵族家里。

江南春

杜牧

千里莺啼绿映红，水村山郭酒旗风[①]。
南朝四百八十寺[②]，多少楼台烟雨中[③]。

【注释】

①郭：城外修筑的一种外墙。山郭：依山的城镇。

②南朝：继东晋灭亡后，先后在南方地区建立的四个朝代（宋、齐、梁、陈）的合称。四百八十寺：南朝皇帝和官僚十分注重佛事，在京城（今南京）大兴土木，建造寺院。这里说四百八十寺是大概数字。

③楼台：指寺庙。

【译文】

春天到来后，广阔的江南大地上，到处可以听到黄莺歌唱，看到燕子飞舞。长出绿叶的树木与红花相互掩映。无论是临水的村庄还是依山的城郭，风中飘动的酒旗随处可见。南朝时修建了数不尽的庙宇，遗留至今，有多少亭台楼阁笼罩在这朦胧的江南烟雨之中呢？

上高侍郎[①]

高蟾

天上碧桃和露种[②]，日边红杏倚云栽[③]。
芙蓉生在秋江上[④]，不向东风怨未开。

【作者简介】

高蟾（chán），生卒年不详，河朔（今属河北）人。唐代文人。出身贫寒，善于作诗，其诗气势雄伟。

【注释】

①此诗作于唐僖宗乾符二年（875）诗人科举落榜之后。通篇运用比喻，用天上碧桃、日边红杏比喻进士及第者，以秋江芙蓉自比，以示自己孤傲的人品，显示出身处逆境的不屈与奋进。此诗写作后的第二年，诗人中第。高侍郎，指高骈（pián）。

②天上：指皇帝、朝廷。碧桃：传说中仙界有碧桃。和：带着，沾染着。

③日：太阳。倚：傍着。

④芙蓉：荷花。

【译文】

天上的碧桃种在甘露的滋养之中，太阳边上的红杏倚着彩云生长。在春天里它们都及时地开放了，只有荷花与它们不同，它寂寞地生长在秋天的江边，开得虽迟，却不向东风抱怨伤悲。

绝句

僧志南

古木阴中系短篷[①]，杖藜扶我过桥东[②]。
沾衣欲湿杏花雨，吹面不寒杨柳风。

【作者简介】

志南，南宋诗僧，志南是他的法号。有关他生平的记述很少。这短短的一首诗，用清新隽永的语言写春游的细腻感受，不言春而处处是春，不言情而情于纸上，使他的名字载入了宋代诗史。

【注释】

①短篷：小船。篷是船帆，船的代称。

②杖藜："藜杖"的倒文。藜是一年生草本植物，茎秆直立，可做拐杖。

【译文】

岸上，参天的古树遮蔽着大地。我乘小船而来，靠岸后系好绳索，手里拄着藜杖，慢慢过桥向东而去。三月里杏花已悄然绽放，绵绵雨丝浸在我的衣服上，微微有些潮意。带着杨柳的清新气息的暖风轻轻吹拂人面，让人沉醉。

游园不值①

叶绍翁

应怜屐齿印苍苔②，小扣柴扉久不开③。
春色满园关不住，一枝红杏出墙来④。

【作者简介】

叶绍翁，字嗣宗，号靖逸，祖籍建安（今属福建）。宋代诗人。原本姓李，祖父李颖士曾做过大理寺丞、刑部郎中，后因党派之争被贬。叶绍翁因祖父的关系受累，家业中衰，从小就被送给龙泉叶姓为子。宋光宗至宋宁宗期间，他曾在朝廷做小官，后来长期隐居钱塘西湖之滨，与友人作诗唱和。

【注释】

①游园不值：想观赏园内的风景却没能如愿。值，面对、遇到。不值，没有遇见。

②应怜：应该爱惜。应，应该。怜，可惜。屐齿：屐是木底鞋，鞋底前后都有高跟儿，叫屐齿。

③小扣：轻轻地敲门。柴扉：柴门。

④由“一枝红杏”联想到“满园春色”，展现了春天的勃勃生机。

【译文】

兴许是园子的主人怕我的木屐把园中青苔踩坏了吧，我轻轻地敲了好久的门，里面也没有人应声。没有关系，满园的春色是不可能被关住的，那一枝从院墙上伸出来的红杏已让人看到生机盎然的春意。

客中行

李白

兰陵美酒郁金香①，玉碗盛来琥珀光②。
但使主人能醉客③，不知何处是他乡。

【注释】

①兰陵：今山东枣庄；一说位于今四川境内。郁金香：一种香草，古人用来浸酒，酒呈金黄色。

②琥珀：一种树脂化石，呈黄色或赤褐色，色泽晶莹。这里形容美酒色泽如琥珀。

③但使：只要。

【译文】

产自兰陵的美酒，散发着浓郁的芳香，倒入玉碗里后，看上去像琥珀般晶莹闪动。只要主人与我一醉方休，我哪里去管这里到底是故乡还是异乡呢！

题屏[1]

刘季孙

呢喃燕子语梁间，底事来惊梦里闲[2]。
说与旁人浑不解[3]，杖藜携酒看芝山。

【作者简介】

刘季孙（1033—1092），字景文，祥符（今河南开封）人，北宋大将刘平之子。北宋诗人，苏轼称其为“慷慨奇士”。他交友广泛，与王安石、苏轼、米芾、张耒（lěi）等文人雅士都有往来。

【注释】

①据叶梦得《石林诗话》中载，这首诗写于刘季孙早年任饶州酒务一官时。宋时官府垄断酒业，个体酒户只能从官办的酒厂批发酒来零售，刘季孙便负责监管此事。一天，时任提点江南东路刑狱的王安石到饶州巡视，对他的政务有些不满，本来想治他的罪，结果在官厅的墙上看到了这首诗，大加赞赏，立即召见刘季孙。两个人聊了很久，最后王安石登车而去，竟忘了问他的政务。

②底事：何事，什么事。

③浑：都，全部。

【译文】

燕子在房梁上叽叽喳喳地鸣叫，它们相互之间在说些什么，竟将我的梦惊醒了。如果有人听说我想破解燕子们的对话，那一定会觉得我很奇怪。因为我的这种悠闲自得之乐没有人能懂，还是带上美酒，拄上拐杖，一个人登芝山去欣赏美景吧。

漫兴[1]

杜甫

肠断春江欲尽头[2]，杖藜徐步立芳洲[3]。

颠狂柳絮随风舞[4]，轻薄桃花逐水流。

【注释】

①漫兴（xìng）：即兴而作，信笔写来。杜甫写有《绝句漫兴九首》，这是其中的第五首，这组绝句写于杜甫寓居成都草堂的第二年，即代宗上元二年（761）。本诗写诗人春日游赏，所见却是飞絮与落花的狼藉景色，结合此时唐王朝经过安史之乱的背景，表达出诗人对国计民生的忧虑。

②肠断：形容极度伤心。传说，东晋将领桓温伐蜀，船在三峡航行，手下有人捉到一只小猿，母猿沿岸哀号，跟着船走了数百里还不肯离去，后来跳到船上，气绝而死。剖开它的肚子后，发现肠子已裂成一寸一寸的了。后人便用“断肠”来形容悲痛到极点。

③芳洲：长满花草的水中陆地。

④颠狂：这里指放荡不羁。

【译文】

都说春江景物迷人，而眼看三春将尽，怎么能不让人伤感呢？我拄着拐杖在江头踱步，站在花草丛生的小洲上，只看见柳絮肆无忌惮地随风飘舞，轻薄的桃花随波逐流，随水而去。

庆全庵桃花[1]

谢枋得

寻得桃源好避秦[2]，桃红又是一年春。
花飞莫遣随流水，怕有渔郎来问津[3]。

【作者简介】

谢枋（fāng）得（1226—1289），字君直，号叠山，弋阳（今属江西）人。南宋文学家。与文天祥同科中进士。曾率兵抗元，城破后流亡隐居。后元朝强迫他出仕，地方官强制送他到大都（今北京），谢枋得绝食而死。

【注释】

①庆全庵：谢枋得避居建阳（今属福建）时给自己居所取的名称。南宋灭亡后，谢枋得在浙赣交界一带抗击元兵。不久，守城被攻陷，他隐姓埋名，躲藏在武夷山区，一住就是十多年。这首小诗借自己门前桃花开放，结合自己逃难的现状，抒发避世的心情，同时表示对元朝的决绝态度。

②桃源："桃花源"的省称，源自晋陶渊明所作《桃花源记》。

③问津：询问渡口。借用《桃花源记》中"无人问津"的典故，指寻访。

【译文】

我寻到了这块像桃花源一样理想的地方，以便像躲避秦朝的暴政一样躲避新建立的朝廷。在这里，我早已忘记时节变化，只是见到桃花又一次盛开，才知道新的一年春天来到了。桃花纷纷飘落，切莫让它飘进溪水；恐怕好事的渔郎见了，会顺着漂浮的花瓣找到这里打扰我。

玄都观桃花①

刘禹锡

紫陌红尘拂面来②，无人不道看花回。
玄都观里桃千树③，尽是刘郎去后栽④。

【作者简介】

刘禹锡（772—842），字梦得，晚年自号庐山人，洛阳（今属河南）人。唐代诗人。刘禹锡诗文俱佳，与柳宗元并称"刘柳"。

【注释】

①本诗作于元和十年（815），原题为《元和十年自朗州至京，戏赠看花诸君子》。贞元二十一年（805），唐顺宗即位后，谋求夺取宦官手中的兵权，擢任王叔文、刘禹锡、柳宗元等人实行革新。不久革新失败，旧派官僚与宦官对参与改革的人一律进行打击斥逐，刘禹锡被贬为连州（今广东连州）刺史，后又

被贬为朗州（今湖南常德）司马。这首诗为政治讽刺诗，借春日玄都观桃花的繁盛和游人众多来影射贤良人才被逐，奸佞小人得势，表现出作者对新贵的讽刺与轻视。

②紫陌：指京城长安的道路。陌，本是田间小路，这里借用为道路之意。红尘：尘埃，人马往来扬起的尘土。拂面：迎面，扑面。

③玄都观（guàn）：道教庙宇名，在今西安市南门外。

④尽是刘郎去后栽：暗指朝中的新贵都是在王叔文变革失败后靠攀附得势的当权者而身居高位的。刘郎，诗人自称。

【译文】

京城的大路上，行人、车马川流不息，扬起的灰尘扑面而来，人们都说自己刚从玄都观里赏花回来。玄都观里的桃树有上千株，全都是在我被贬离开京城后栽下的。

再游玄都观①

刘禹锡

百亩庭中半是苔②，桃花净尽菜花开③。
种桃道士归何处④，前度刘郎今又来⑤。

【注释】

①诗作于唐文宗太和二年（828），这首诗是《玄都观桃花》的续篇。十四年前，刘禹锡因赋《玄都观桃花》一诗得罪了权相武元衡，刚被召回京城不久又被远调岭南。十四年后，刘禹锡“复为主客郎中”，再次回到长安。这时，武元衡早已死去。刘禹锡重提旧事，仍以桃花作比，通过玄都观桃花的命运，写当初得势的权贵今日已经一败涂地，显示出诗人的不屈与乐观。

②百亩：表示面积大，并非实指。庭中：一作“中庭”。庭，指玄都观。

③净尽：净，空无所有。尽，完。菜花：野菜花。

④种桃道士：暗指当初打击王叔文、贬斥刘禹锡的权贵们。

⑤前度：上次。

【译文】

玄都观的百亩庭院一多半都长了青苔。桃花一株也没有了，只有许多野菜花儿在杂草里开放。种桃树的道士哪里去了呢？上回的刘郎今天又回来了。

滁州西涧[1]

韦应物

独怜幽草涧边生[2]，上有黄鹂深树鸣[3]。
春潮带雨晚来急，野渡无人舟自横[4]。

【作者简介】

韦应物（737—约792），长安（今陕西西安）人。唐代诗人。因出任过苏州刺史，世称“韦苏州”。韦应物的诗风恬淡高远，以善于写景和描写隐逸生活著称。

【注释】

①滁（chú）州：州名，辖境相当于今安徽滁州、来安、全淑三市县地。西涧：滁州城西郊的一条小溪，有人称上马河，即今天的西涧湖。一般认为《滁州西涧》这首诗作于唐德宗建中、元兴年间，782年，韦应物出任滁州刺史，两年后仕途失意，寓居滁州西涧，785年出任江州刺史。韦应物生性高洁，爱幽静，好诗文，笃信佛教，鲜食寡欲，所居每日必焚香扫地而坐。他时常独步郊外，滁州西涧便是他常游赏的地方。诗中描写滁州西涧动静结合的自然风光，有声有色，写出诗人对幽静的热爱，显示出诗人恬淡的心境，并流露出淡淡的忧伤。

②独怜：独爱。

③深树：树荫深处。

④野渡：荒郊野外无人管理的渡口。横：指随意漂浮。

【译文】

河边生长的野草是那样幽静而富有生机，岸上茂密的丛林深处不时传来黄鹂的叫声，婉转动听。因傍晚下了春雨，河水更加湍急汹涌，在那暮色苍茫的荒野渡口，已没有人渡河，只有小船独自随着水流横漂在河边上。

花影①

谢枋得

重重叠叠上瑶台②，几度呼童扫不开。
刚被太阳收拾去，却教明月送将来。

【注释】

①一说作者为苏轼。这是一首咏物诗，诗人借吟咏花影，抒发了自己想要有所作为却又无可奈何的心情。

②重重叠叠：形容地上的花影一层又一层，很浓厚。瑶台：华贵的亭台，传说中仙人的住地，诗中指家中清幽的亭台。

【译文】

花影投在亭台上，层层叠叠，我叫童儿打扫了好几次，可就是拂之不去。傍晚太阳总算下山了，花影刚刚退去，可是紧接着月亮从东面的夜空升起，花影又出现了。

北山①

王安石

北山输绿涨横陂②，直堑回塘滟滟时③。
细数落花因坐久，缓寻芳草得归迟。

【注释】

①北山：即今南京东郊的钟山。诗作于宋神宗熙宁十一年（1078）至元丰七年（1084）间，王安石晚年隐居金陵钟山时。本诗抒发了诗人寄情于山水的

闲适之情。

②输绿：输送绿色。陂（bēi）：池塘。

③堑（qiàn）：沟渠。回塘：曲折的池塘。滟滟（yàn）：春水在阳光下闪闪发光的样子。

【译文】

北山的葱绿映照在山塘里，春水悄悄地上涨。笔直的堑沟，弯曲的池塘，都泛着点点波光。我在春光里陶醉了，在郊野中心情悠闲，细数着落花坐了很久。慢慢地寻着芳草回去时，天色已经很晚。

湖上[1]

徐元杰

花开红树乱莺啼[2]，草长平湖白鹭飞[3]。
风日晴和人意好，夕阳箫鼓几船归。

【作者简介】

徐元杰（1196—1246），字伯仁，号梅野，信州上饶（今江西上饶）人。宋代诗人。

【注释】

①湖：即杭州西湖。

②红树：红花满树。

③平湖：风平浪静的湖面。

【译文】

在开满红花的树上，黄莺啼叫着，湖面碧波平静而明亮，简直像一面镜子，嫩绿的小草长在湖边，白鹭在湖面上飞舞。天气晴朗，阳光明媚，游人怡然自得。几条画船上鼓乐齐鸣，快乐地向回划去。

漫兴[1]

杜甫

糁径杨花铺白毡[2]，点溪荷叶叠青钱。
笋根雉子无人见[3]，沙上凫雏傍母眠[4]。

【注释】

①此诗为杜甫《绝句漫兴九首》中的第七首。以优美温暖的意境，抒发出作者闲适的心情。

②糁（sǎn）径：散乱地落满杨花的小路。糁，原意指饭粒，这里指散布。

③雉（zhì）子：小野鸡；一作“稚子”，指嫩笋芽。

④凫（fú）雏：小野鸭。

【译文】

小路上散落着杨花碎片，就像铺了一层毡子一样，小溪水面上的点点嫩荷，像铜钱般一个叠着一个。小野鸡躲在竹林里的笋根旁，没有人注意到它们，刚刚孵出的小野鸭子，在沙滩上依偎着母亲安闲地睡着了。

春晴[1]

王驾

雨前初见花间蕊[2]，雨后全无叶底花。
蜂蝶纷纷过墙去，却疑春色在邻家[3]。

【注释】

①这首小诗为即兴之作，写雨后到小园漫步所看到的残春景象。

②蕊：花心。

③疑：疑心。

【译文】

在下这场雨之前，我还曾看见过花间露出新蕊，一场雨过后，只见花叶一片碧绿，可就连叶子底下也找不到一朵花。采花的蜜蜂和蝴蝶，因为无花可落，纷纷飞过院墙，真让我不禁生疑——难道春天的景色在我邻居家的园子里吗？

春暮

曹豳

门外无人问落花，绿阴冉冉遍天涯①。
林莺啼到无声处，青草池塘独听蛙②。

【作者简介】

曹豳（1170—1250），字西士，温州瑞安（今属浙江）人。南宋时期爱国诗人。

【注释】

①绿阴：绿树浓荫。冉冉：柔软下垂。天涯：天边。此指广阔大地。

②独听蛙：只听见蛙鸣声。

【译文】

暮春时节，没有人再去理会飘落在路上的残花，只见茂密的树木洒下浓荫，无边无际。林间的小黄莺已经长大，不再啼叫，我只能独自一人走到长满青草的池塘边，去听一听青蛙的叫声。

落花

朱淑贞

连理枝头花正开①，妒花风雨便相催。
愿教青帝常为主②，莫遣纷纷点翠苔。

【作者简介】

朱淑贞，号幽栖居士，钱塘（今浙江杭州）人。南宋女诗人、词人。现有诗集《断肠集》、词集《断肠词》传世。

【注释】

①连理枝：两棵树的枝条连在一起生长，比喻恩爱的夫妻。

②青帝：掌管春天的神，又称东君、东皇。

【译文】

绚丽的花朵盛开在连理枝头，遭到风雨的嫉妒，时刻想要催促花儿早些凋谢。我多么盼望掌管春天的神能长久做主，好让这娇艳的鲜花不至于落到绿苔之上。

春暮游小园

王淇

一从梅粉褪残妆①，涂抹新红上海棠。
开到荼蘼花事了，丝丝天棘出莓墙②。

【作者简介】

王淇（qí），字菉猗，生平事迹不详。与谢枋得是好友。

【注释】

①褪残妆：指梅花凋谢。

②天棘：一种藤本植物，常种于寺院的庭槛中用来观赏。常常缠在竹木上生长，叶子已经退化成针状，细如青丝，所以说“丝丝天棘”。莓：本义指苔藓，此处指蔓生草本植物。

【译文】

梅花凋谢、零落，像少女卸去妆容一样的时候，海棠花才开放，它就像少女刚刚打扮好一样艳丽。等到荼蘼开花以后，春天就要结束，到那时，只有天棘长于莓墙之上了。

莺梭

刘克庄

掷柳迁乔太有情①，交交时作弄机声②。
洛阳三月花如锦③，多少工夫织得成④。

【作者简介】

刘克庄（1187—1269），字潜夫，号后村，福建莆田人。南宋诗人、词人、诗论家。宋末文坛领袖，辛派词人的重要代表，词风豪迈慷慨；在江湖派诗人中成就最大。

【注释】

①掷柳：从柳枝上投掷下来，描绘黄莺从柳枝间飞下时敏捷的样子。迁乔：迁移到高大的乔木上，描绘黄莺往上飞时轻快的样子。

②交交：黄莺的鸣叫声。弄机声：织布机转动时发出的响声。

③花如锦：花开得像锦绣一样美丽。

④织得成：织出来。

【译文】

春天里，黄莺灵巧地穿梭于树木之间，时而在柳树枝头，时而飞入挺拔茂密的乔木，似乎自得其乐一般。它们发出的啼叫声好像织布机工作的时候发出的响声一般。三月的洛阳城百花争相绽放，花团锦簇。看那些往来如梭的黄莺，在绿柳树木中穿行，它们要费多少工夫才能织成如此迷人的春色呢！

暮春即事

叶采

双双瓦雀行书案①，点点杨花入砚池。
闲坐小窗读周易②，不知春去几多时。

【作者简介】

叶采，字仲圭，建阳（今福建）人。宋理宗淳祐（yòu）元年（1241）进士。

【注释】

①瓦雀：屋顶瓦上的麻雀，这里指麻雀的影子。

②周易：即《易经》，儒家经典著作。

【译文】

屋顶上落着两只麻雀，蹦蹦跳跳，叽叽喳喳，在太阳光的照射下，它们的影子在书案上移动。暮春时节杨花飞舞，一朵一朵飘入屋子，落到砚池中。静心读书的我坐在小窗前毫不理会这些，只管潜心地读着《周易》，对春天过去了多久并不知晓。

登山

李涉

终日昏昏醉梦间①，忽闻春尽强登山②。
因过竹院逢僧话，又得浮生半日闲。

【作者简介】

李涉，自号清谿子，洛阳（今河南洛阳）人。唐代诗人。与弟弟李渤一起隐居庐山香炉峰下。后出山做幕僚。唐宪宗时，曾任太子通事舍人。一再遭受贬谪，常抒发不得志的感慨。

【注释】

①昏昏：迷迷糊糊。

②强：勉强。

【译文】

整天只觉昏昏沉沉，如醉如梦。突然听说春光就要过去时，强打精神去登山赏玩。路过竹院时，恰好遇见了寺僧，我便坐下来和他聊天，抛掉了尘间的烦恼，得到了半天的清闲时光。

蚕妇吟

谢枋得

子规啼彻四更时[1]，起视蚕稠怕叶稀。
不信楼头杨柳月[2]，玉人歌舞未曾归[3]。

【注释】

①子规：又名杜宇，是杜鹃鸟的别称。鸣叫的声音听起来像在说“不如归去”。

②杨柳月：月亮西沉到杨柳树梢。

③玉人：指歌女舞女。

【译文】

四更时分，杜鹃鸟在窗外不停地啼叫，唤醒了养蚕的妇人起身察看所养的蚕，她怕蚕儿稠密桑叶太稀。歌舞之声远远传来，她难以相信楼头月已西沉，深夜时分，在高楼上欢宴的歌女们依然没有回家入睡。

晚春

韩愈

草木知春不久归[1]，百般红紫斗芳菲。
杨花榆荚无才思[2]，惟解漫天作雪飞[3]。

【注释】

①不久归：没有结束。

②杨花：指柳絮。榆荚（jiá）：亦称榆钱。春天时榆树没有长出叶子之时，先在枝间生荚，即榆树的种子。荚小，形如钱，开始为绿色，成熟后变成白色，随风飘落。才思：才华和能力。

③解：知道。

【译文】

春光易逝，转眼就要离去了，显然花草树木是知道的，它们都想让春天再多留些时日，因此竞相开放，争奇斗艳。就连那没有颜色，一点也不美丽的杨花和榆钱也难忍寂寞，借春风之力漫天飞舞，如同落雪一般。

伤春[①]

杨万里

准拟今春乐事浓[②]，依然枉却一东风[③]。
年年不带看花眼，不是愁中即病中。

【作者简介】

杨万里（1127—1206），字廷秀，号诚斋，吉州吉水（今江西吉水）人。南宋诗人。杨万里一生力主抗战，他向皇帝一再上书，痛陈国家利弊。他为官清正廉洁，遇事敢于直言，常常针砭时弊，因此受人排挤，始终没有得到重用。他的诗作风格生动活泼，被称为“诚斋体”。

【注释】

①又作《晓登万花川谷看海棠》。

②准拟：料想。

③枉却：辜负。

【译文】

春天到来时，我还以为今年春天赏春的乐事肯定非常多，没想到今年和往年一样，又白白辜负了春光美景。我年年都不曾去观赏那锦绣繁花，因为不是在生病就是忧愁，根本没有赏花的心情。

送春

王令

三月残花落更开①，小檐日日燕飞来。
子规夜半犹啼血，不信东风唤不回②。

【作者简介】

王令（1032—1059），字钟美，后改为逢源，原籍元城（今河北大名）。北宋诗人。王令有治国安民的志向，却一生孤愤而不得志。曾在天长、高邮等地以教学为生。他的诗作造语精辟，气势磅礴，受到当时人的称赞。

【注释】

①落更开：还有开花者。

②不信：虽则不信，然春去依旧。

【译文】

已到春末时节，许多花儿开始谢落，但也有再绽放新枝的。小燕子天天都飞入低矮的屋檐下。杜鹃不分昼夜地啼叫，直到啼出血来。春风也会被它们的呼唤感动，再次回归大地。

三月晦日送春①

贾岛

三月正当三十日②，风光别我苦吟身③。
共君今夜不须睡，未到晓钟犹是春。

【作者简介】

贾岛（779—843），字浪（阆）仙，范阳（今北京附近）人。唐代诗人。早年出家为僧，法号无本，自号“碣石山人”。后来谒见韩愈，以诗才深得赏识，还俗入仕。唐文宗时被排挤，贬为长江主簿。唐武宗会昌年初由普州司仓参军改任司户，未任病逝。他擅长五律，最爱苦吟，自称“一日不作诗，心源如废井”。他的诗语言奇特，常表现愁苦孤独之情。

【注释】

①晦日：夏历每月的最后一天。

②正：一作“更”。

③风：一作“春”。苦吟：竭尽全力地作诗。苦吟派往往为了一句诗或是诗中的一个词，不惜耗费心血，反复琢磨。

【译文】

今天是三月三十日，是暮春的最后一天，对于我这位苦吟诗人来说，美丽的春光就要离我而去了。那么今晚我就不再睡下，而是与你共度这段珍贵的时光吧。在晨钟敲响之前，总还算是春天吧。

客中初夏

司马光

四月清和雨乍晴①，南山当户转分明。
更无柳絮因风起，惟有葵花向日倾②。

【作者简介】

司马光（1019—1086），字君实，号迂叟，陕州夏县（今山西夏县）人。北宋史学家、文学家。历仕仁宗、英宗、神宗、哲宗四朝，卒赠太师、温国公，谥文正。他主持编纂了中国历史上第一部编年体通史《资治通鉴》。

【注释】

①清和：天气晴朗暖和。乍：初。

②葵：许多人把本句中“葵花”释为“向日葵”，实为谬误。葵，在中国原指葵菜，此外还有蜀葵等，也都有向阳的习性。而向日葵原产美洲，是明代后期

才从南洋传入中国的油料作物。明代《群芳谱》中记载："西番葵，茎如竹，高丈余，叶似葵而大，花托圆二三尺，如莲房而扁，花黄色，子如荜（蓖）麻子而扁。"这是中国最早关于向日葵的记载。可以推断，司马光笔下的"葵花"，并不是指向日葵，而是指蜀葵等有向阳性的植物。

【译文】

四月已进入初夏时节，天气清新和暖，雨过天晴之后，山色像被水洗过一样，更加翠绿怡人，向远处望去，正对着门的南山变得更加清亮了。没有了随风飘扬的柳絮在眼前纷纷扰扰，只有葵花朝向着太阳开放。

有约①

赵师秀

黄梅时节家家雨②，青草池塘处处蛙③。
有约不来过夜半④，闲敲棋子落灯花⑤。

【作者简介】

赵师秀（1170—1220），字紫芝，又字灵秀，亦称灵芝，又号天乐，永嘉（今浙江温州）人。南宋诗人。诗风清瘦野逸。与翁卷、徐照、徐玑被称为"永嘉四灵"。

【注释】

①一题《约客》，邀请客人来相会。

②黄梅时节：农历四五月间，江南梅子熟时，往往是阴雨绵绵的时节，称为"梅雨季节"，所以称江南雨季为"黄梅时节"。家家雨：家家户户都赶上下雨，指到处都在下雨。

③处处蛙：到处都是蛙声一片。

④有约：邀约友人。

⑤落灯花：旧时以油灯照明，灯芯烧残，落下来时好像一朵闪亮的小花。

【译文】

梅子熟了的时候，雨下个不停，池塘边上长满青草，阵阵蛙声此起彼伏。已经过了午夜，我约好的朋友还没有来，我无聊地轻敲着棋子，看着灯花落下。

闲居初夏午睡起

杨万里

梅子留酸软齿牙①，芭蕉分绿上窗纱②。
日长睡起无情思③，闲看儿童捉柳花④。

【注释】

①留：一作“流”。软：一作“溅”。

②芭蕉分绿上窗纱：芭蕉的绿色映照在纱窗上。

③思：情绪。

④柳花：柳絮。

【译文】

刚刚成熟的梅子味道很酸，吃上一颗，酸味充溢齿间，芭蕉叶长大，绿荫映衬到纱窗上。夏天来了，白天变得越来越长，人也容易困倦，午睡起来后，觉得慵懒而无聊，闲来无事，看孩子们跑来跑去地戏捉空中飘飞的柳絮。

三衢道中①

曾几

梅子黄时日日晴②，小溪泛尽却山行③。
绿阴不减来时路④，添得黄鹂四五声⑤。

【作者简介】

曾几（1084—1166），字吉甫，自号茶山居士，其先赣州

（今江西赣州）人，先辈迁居河南（今河南洛阳）。南宋诗人。官至礼部侍郎。曾几学识渊博，勤于政事，他的学生陆游替他作《墓志铭》，称他“治经学道之余，发于文章，雅正纯粹，而诗尤工”。他的诗作多属抒情遣兴、唱酬题赠之作，娴雅清淡。

【注释】

①三衢：山名，在今浙江境内。

②梅子黄时：梅子成熟的季节。日日晴：每天都是晴天，梅子黄时本应为梅雨季节，却遇到晴好的天气，十分难得。

③小溪泛尽：乘小船走到小溪的尽头。泛，乘船。尽，尽头。却山行：再走山间小路。却，再的意思。

④绿阴：苍绿的树荫。阴，树荫。不减：并没有减少，差不多。

⑤黄鹂：黄莺。

【译文】

梅子黄透了的时候，天天都是晴朗的好天气，乘小舟沿着小溪行驶，一直走到了溪水的尽头，再改走山路继续前行。两旁高大苍翠的树木，与来的时候一样浓密，深林丛中传来几声黄鹂清脆的鸣叫声，更增添几分意趣。

即景

朱淑贞

竹摇清影罩幽窗①，两两时禽噪夕阳②。
谢却海棠飞尽絮③，困人天气日初长④。

【注释】

①罩幽窗：因为竹影的笼罩使窗前幽暗。

②两两：成双成对。时禽：泛指应时的鸟雀。噪：喧闹。

③谢却：凋谢。絮：柳絮。

④困人天气：指初夏的气候使人慵懒。日初长：白天开始变长。

【译文】

在微风中，竹子将自己清雅的影子投射到幽静的窗户上，夕阳西下，成双成对的鸟儿在尽情地鸣叫着。此时已进入初夏，海棠花凋谢了，柳絮也飞尽了，白昼也变得漫长起来，感到炎热的天气使人容易慵懒和困乏。

初夏游张园

戴复古

乳鸭池塘水浅深[①]，熟梅天气半晴阴。

东园载酒西园醉，摘尽枇杷一树金[②]。

【作者简介】

戴复古（1167—约1252），字式之，常居南塘石屏山，故自号石屏、石屏樵隐，天台黄岩（今浙江台州）人。南宋诗人。一生不仕，浪游江湖，后隐居。曾跟随陆游学诗，部分作品抒发爱国之志，反映人民疾苦，具有现实意义。

【注释】

①乳鸭：刚孵出不久的小鸭。

②枇杷：一种水果，果实球形，成熟时呈金黄色。

【译文】

小鸭在池塘中深浅不一的水里嬉戏，梅子已经熟透，天气一会儿晴一会儿阴。趁着天气好，邀请一些朋友，用船载酒宴游，东园西园全都游遍。在如画的风景面前，心情格外舒畅，尽情痛饮之后，已有人醉了。园子里那一树黄澄澄的枇杷，像金子一样垂挂在枝条上，正好把它们摘下来，供大家酒后品尝。

鄂州南楼书事[1]

黄庭坚

四顾山光接水光[2]，凭栏十里芰荷香[3]。
清风明月无人管[4]，并作南来一味凉[5]。

【作者简介】

黄庭坚（1045—1105），字鲁直，自号山谷道人，晚号涪翁，又称豫章黄先生，洪州分宁（今江西修水）人。北宋诗人、词人、书法家，为盛极一时的江西诗派开山之祖。“苏门四学士”（秦观、黄庭坚、晁补之和张耒）之一。诗歌方面，他与苏轼并称为“苏黄”；书法方面，他与苏轼、米芾、蔡襄并称为“宋代四大家”。

【注释】

①鄂（è）州：在今湖北武汉、黄石一带。南楼：在武昌蛇山顶。

②四顾：向四周望去。山光、水光：山色、水色。

③十里：形容水面辽阔。芰（jì）：菱角。

④清风明月无人管：化用李白《襄阳歌》诗句：“清风朗月不用一钱买，玉山自倒非人推。”管，过问。

⑤并：合并在一起。一味凉：一片凉意。

【译文】

站在楼上远望，只见山水相连，一望无际的水面上长满菱角，朵朵荷花盛开，飘来阵阵香气。晚上，皓月当空，清风徐徐，无拘无束，自由自在。月光融入清风从南面吹拂而来，使人感到一片清凉与惬意。

山亭夏日

高骈

绿树阴浓夏日长[1]，楼台倒影入池塘。
水晶帘动微风起[2]，满架蔷薇一院香[3]。

【作者简介】

高骈（821—887），字千里，先世为渤海人，后来迁居幽州（今北京）。晚唐名将、诗人。高骈出身于禁军世家，他曾统率人马抵御党项以及吐蕃。先后历任五镇节度使，期间正值黄巢发动起义，高骈多次重创起义军。后来中了黄巢军队的缓兵之计，遭到重创，从此高骈不敢再战。黄巢一路进发，攻陷长安。此后一直到长安收复的三年里，高骈未出一兵一卒救援京城。中和二年（882），朝廷罢免他的官职，五年后，部将毕师铎发动叛乱，将其杀害。

【注释】

①浓：指树丛的阴影很浓。

②水晶帘：精美的帘子。这里指水面，形容微风吹过，波光粼粼，如同水晶帘微微摆动。

③蔷薇：花名，一种观赏性植物，它的茎长似蔓，须搭架供其攀缘生长。夏季开花，有红、白、黄等色，美艳而香。

【译文】

盛夏时节，绿树繁茂，白昼渐长，清澈的池塘中倒映着楼台的影子。微风拂过，水面点点波光，如同水晶帘一样轻轻晃动。架上的蔷薇争相开放，满院都可闻到那让人神清气爽的阵阵香风。

田家

范成大

昼出耘田夜绩麻[1]，村庄儿女各当家[2]。

童孙未解供耕织[3]，也傍桑阴学种瓜。

【作者简介】

范成大（1126—1193），字致能，号石湖居士，平江吴县（今江苏苏州）人。南宋诗人。诗作题材广泛，以反映农村社会生活的作品成就最高。他与杨万里、陆游、尤袤合称南宋“中兴四大诗人”。

【注释】

①耘田：除草。绩麻：搓麻线。

②当家：在行。

③童孙：泛指年幼儿童。供：从事。

【译文】

白天在田里辛勤耕种，晚上回来还要搓麻，村里的年轻人各自都能担起家里劳作的任务，就连还没学会如何帮助耕种、织布的天真小孩，也会在桑树荫下学习大人怎样种瓜。

村居即事

翁卷

绿遍山原白满川[1]，子规声里雨如烟[2]。
乡村四月闲人少，才了蚕桑又插田[3]。

【作者简介】

翁卷（juǎn），字续古，一字灵舒，乐清（今属浙江）人。南宋诗人。工诗，为“永嘉四灵”之一。

【注释】

①山原：山陵和原野。白满川：指河流里的水色映着天光。川，河流。

②子规：杜鹃鸟。如：好像。

③才：刚刚。了：结束。蚕桑：种桑养蚕。插田：插秧。

【译文】

绿色染遍了平原与山峦，河水映着天光，一片白茫茫。杜鹃不停地啼叫，天空笼罩在烟雨蒙蒙之中。已进入四月，农民们开始忙碌起来，村里几乎没有一个人闲着。他们刚刚忙完了种桑养蚕的活，又要开始去稻田里插秧了。

题榴花

韩愈

五月榴花照眼明，枝间时见子初成。
可怜此地无车马[1]，颠倒苍苔落绛英[2]。

【注释】

①可怜：可惜。

②颠倒：错乱，多指心神纷乱。绛（jiàng）：紫色，这里指石榴花凋落的样子。

【译文】

在五月里，火红的石榴花绽放了，绚丽夺目，隐约还可以看见石榴果结于枝上。令人可惜的是，如此绚丽的花儿却没有人欣赏，此地没有赏花人车马经过的痕迹。红艳似火的石榴花只能在人们冷漠的对待下，无奈而寂寥地飘落。

村晚[1]

雷震

草满池塘水满陂[2]，山衔落日浸寒漪[3]。
牧童归去横牛背[4]，短笛无腔信口吹[5]。

【作者简介】

雷震，宋朝诗人，生平不详。他的诗收录于《宋诗纪事》中。

【注释】

①这首诗描写了乡村的优美，以及牧童晚归的悠闲自在，流露出对归隐生活的向往。

②池塘：堤岸。

③衔：口里含着。本句指落日西沉，半挂在山腰，像被山咬住了。浸：淹没。寒漪（yī）：水上的波纹。

④横牛背：横坐在牛背上。

⑤腔：曲调。信口：随口。

【译文】

池塘边上长满了青草，池水满满地快要漫上了岸，落日挂在山头，倒影映入水波。放牛的孩子横坐在牛背上，用短笛随意地吹奏着不成调的乐曲。

书湖阴先生壁①

王安石

茅檐常扫净无苔②，花木成畦手自栽③。
一水护田将绿绕④，两山排闼送青来⑤。

【注释】

①书：书写，题诗。湖阴先生：隐士，是王安石晚年住在金陵时的邻居。

②茅檐：茅屋檐下，这里指庭院。无苔：没有青苔。

③畦：指经过修整的一块块田地。

④护田：这里指环绕着田园。将：携带。绿：指水色。

⑤排闼（tà）：开门。闼，小门。

【译文】

我的邻居非常勤劳，常把自家茅草房的院落打扫得十分干净，甚至让人找不到一片青苔。花木成行成垄，十分整齐，都是主人亲手种植的。庭院外面，一条小河环绕着农田，两座青山仿佛推门而入，为人们送来满眼绿色。

乌衣巷

刘禹锡

朱雀桥边野草花①，乌衣巷口夕阳斜②。
旧时王谢堂前燕③，飞入寻常百姓家④。

【注释】

①朱雀桥：在金陵城外，跨秦淮河，乌衣巷在桥边。

②乌衣巷：在今南京市东南，在文德桥南岸，是三国时东吴禁军的驻地。由于当时禁军都身穿黑色的军服，所以此地被称作乌衣巷。东晋时，王导、谢安两大家族都居住在乌衣巷，唐代后乌衣巷已成为废墟。

③旧时：这里指晋代。王谢：王导、谢安，晋代名臣。

④寻常：平常。

【译文】

曾繁盛热闹的朱雀桥旁边如今长着许多杂草和野花，乌衣巷口只有夕阳斜照，往日的豪门如今早已衰落。当年王导、谢安两个显贵望族房檐下的燕子，早已飞进寻常百姓的房屋中了。

送元二使安西①

王维

渭城朝雨浥轻尘②，客舍青青柳色新③。
劝君更尽一杯酒，西出阳关无故人④。

【作者简介】

王维（701—761），字摩诘，祖籍山西祁县，后随父亲迁居河东蒲州（今山西运城）。母亲笃信佛教，因此，以佛教中居士维摩诘的名字为儿子取名。开元九年(721)中进士，官至尚书右丞。王维是盛唐山水田园诗人的代表，与孟浩然合称“王孟”。苏轼评价道：“味摩诘之诗，诗中有画；观摩诘之画，画中有诗。”王维精通佛学，他的一些诗中饱含佛理，因此有“诗佛”之称。

【注释】

①诗题一作《渭城曲》，或名《阳关曲》《阳关三叠》。

②渭城：在今陕西西安市西北，即秦代咸阳古城。浥(yì)：润湿。

③客舍：旅馆。柳色：柳树象征离别。

④阳关：在今甘肃敦煌西南，为自古赴西北边疆的交通要道。

【译文】

清晨的小雨湿润了渭城地面的尘土，盖有青瓦的旅舍映衬着柳树翠绿的枝叶，显得十分清新。我真诚地劝你再饮一杯酒吧，再向西走出阳关以后，就再没有知心的朋友相陪了。

题北榭碑①

李白

一为迁客去长沙②，西望长安不见家。
黄鹤楼中吹玉笛，江城五月落梅花③。

【注释】

①榭(xiè)：楼上有台名叫榭。诗题一作《与史郎中钦听黄鹤楼上吹笛》，又作《黄鹤楼闻笛》。

②迁客：被贬谪的人。去长沙：汉代贾谊受权臣谗害，被贬为长沙王太傅，诗人借此自比以发表感慨。

③江城：指江夏(今湖北武昌)，因在长江、汉水之滨，故称江城。落梅花：即《梅花落》，古代笛曲名，这里也可理解为笛曲让人听了生出寒意。

【译文】

西汉时的贾谊因为受到小人诋毁，被贬到长沙，而我如今也成了被贬之人。向西遥望不见长安故园，此时心里是何等的忧愁与苦闷。我一个人坐在黄鹤楼上，听到一阵阵笛声传来，让人觉得一阵凉意袭来，五月的江城却让我感到仿佛身处梅花飘落的冬季一样。

题淮南寺

程颢

南去北来休便休，白蘋吹尽楚江秋①。
道人不是悲秋客②，一任晚山相对愁③。

【注释】

①白蘋：即白萍，于初秋开白花。

②道人：作者自称。

③一任：听凭。作者说自己四处奔波，虽然十分忙碌，但是想休息便休息。又讲秋风、秋江、秋蘋，虽令人生愁，他却声称自己不是悲秋客，要把愁留给晚山。

【译文】

从北而来，向南而去，奔波劳碌，但是想休息便休息，悠闲自得。秋风吹着江上的白蘋，一片悲凉的晚秋景象浮现在眼前。我不是那种见秋景而心怀伤感的人，让楚江两岸起伏的山峦在黄昏中相对悲愁伤感去吧！

秋月

朱熹

清溪流过碧山头①，空水澄鲜一色秋②。

隔断红尘三十里[3]，白云黄叶共悠悠。

【注释】

①清溪：清澈的溪水。碧山头：山上树木葱茏，碧绿苍翠。

②空水：清澈、透明的流水。澄（chéng）鲜：明净、清新。一色秋：夜空和在月色中流动的溪水像秋色一样明朗。

③隔断红尘三十里：指溪水距离有人家的地方有三十里远的路程。三十，约数，指远隔人世，表现其幽深。红尘，佛教把人间称为红尘。

【译文】

碧绿的山头悬空倾泻下清澈的溪水，溶溶月色的映照下，澄清的水和蓝天构成了一幅动人的秋景画卷。这秋色把人世间隔开得真是很遥远，那溪上的白云，那山间的红叶，该是多么悠闲自在！幽静的秋色是多么令人陶醉啊！

七夕[1]

杨朴

未会牵牛意若何[2]，须邀织女弄金梭。
年年乞与人间巧，不道人间巧几多[3]。

【作者简介】

杨朴（约921—1003），字契玄，郑州东里（今河南新郑）人。北宋诗人。宋太宗、真宗都曾召见他，皆辞归。

【注释】

①七夕：节日名。夏历七月初七晚上。古代神话中，七夕牛郎织女在天河相会。妇女们在院里摆上瓜果，结彩线，对月穿七孔针，向巧女祈求智慧，所以又名乞巧节。诗人借乞巧立意，通过写人间奇巧已够多，表现对世间尔虞我诈的所谓技巧的愤慨。

②未会：不明白，不理解。

③不道：岂不知道。

【译文】

每年七夕时节，牛郎总要邀请织女在天上穿梭织锦，我实在不明白他为什么这样做。你们每一年都让世间的人从你们那里乞得巧去，难道你们不知道人间的巧已经够多了吗？

立秋

刘翰

乳鸦啼散玉屏空①，一枕新凉一扇风。
睡起秋声无觅处②，满阶梧叶月明中。

【作者简介】

刘翰（hàn），字武子（一说武之），长沙（今属湖南）人。南宋诗人，与范成大在同一时期。

【注释】

①乳鸦：幼小的乌鸦。

②秋声：秋风的萧瑟声。

【译文】

小乌鸦的鸣叫阵阵传来，随后又依稀散去，屏风静静地立着。突然间一阵阵秋风吹了起来，顿时让人觉得枕边一阵凉爽，就像有人在床边用绢扇扇风一样。朦胧中听见外面秋风作响，可是起身去寻觅，却什么也找不到，只有台阶上的梧桐叶沐浴在明亮的月光中。

秋夕①

杜牧

银烛秋光冷画屏②，轻罗小扇扑流萤③。
天阶夜色凉如水④，卧看牵牛织女星⑤。

【注释】

①秋夕：秋天的夜晚。

②银烛：精美的银色蜡烛。

③轻罗小扇：轻巧的丝质扇子。

④天阶：天庭上宫殿的台阶。一作“天街”。

⑤卧看：卧着朝天看。

【译文】

秋夜里，银色蜡烛发出幽光，画屏在烛光照耀下生出几分凄冷的意味。一位宫女手里拿着团扇，轻轻地扑打在空中飞舞的萤火虫。宫苑石阶上的夜色，清凉如水；仰望星空，看着那天上的牵牛星与织女星。

中秋月

苏轼

暮云收尽溢清寒，银汉无声转玉盘[①]。
此生此夜不长好，明月明年何处看。

【注释】

①银汉：银河。玉盘：指月亮。

【译文】

夜幕降临，天地间笼罩在清冷之中，静静的银河星光点点，皎洁的月亮升上了天空。我这一生中很少碰到今天这样的美景，真是太难得了。可明年的中秋，我又会在何处赏月呢？

江楼有感[①]

赵嘏

独上江楼思悄然[②]，月光如水水如天。
同来玩月人何在，风景依稀似去年[③]。

【作者简介】

赵嘏(gǔ)，(约806—约853)，字承祐，楚州山阳(今江苏淮安)人。唐代诗人。会昌四年(844)进士，官至渭南尉。精于七律，笔法熟练，常有警句。

【注释】

①江楼：江边的小楼。

②思悄然：思绪怅惘。悄然，一作“渺(miǎo)然”。

③依稀：仿佛，好像。

【译文】

我独自登上江楼，向远处眺望，眼前的景色不禁触动了我的内心，让我感到孤寂和怅惘。涟漪起伏的江面上映着皎洁的月色，水天相接，融为一体。景色依旧，可昔日来此共赏明月的朋友不在眼前，怎么不让人伤感呢？

题临安邸①

林升

山外青山楼外楼，西湖歌舞几时休②。
暖风薰得游人醉③，直把杭州作汴州④。

【作者简介】

林升，生平事迹不详，字梦屏，平阳(今属浙江)人。南宋诗人。

【注释】

①这是一首写在临安城一家旅店墙上的政治讽刺诗。1126年，金人攻陷北宋首都汴梁，俘虏徽宗、钦宗两位皇帝，中原大片土地被金人侵占。赵构逃往江南，在临安即位，史称南宋。这个偏安一隅的小朝廷并没有吸取北宋亡国的教训，也没有收复中原失地的勇气与意愿，对外屈膝投降，对内残酷迫害岳飞等主战将士。这首诗针对这样的社会现实有感而发，表达了诗人对国家民族

命运的关切与忧虑。题：写。临安：南宋都城，今浙江杭州。邸（dǐ）：府邸，客栈。这里指旅店。

②休：停止，罢休。

③暖风：这里不仅指和煦的春风，还暗指南宋朝廷的靡靡之风。游人：既指一般游客，更特指那些忘记国难，一味苟且偷安、纸醉金迷的南宋贵族。

④直：简直。汴（biàn）州：即汴梁（今河南开封附近），北宋都城。

【译文】

峰峦叠翠的青山围绕着美丽的西湖，两岸雕梁画栋的楼阁连绵不断。西湖游船上都是达官贵人，饮酒作乐，轻歌曼舞从不停歇。和煦的春风吹得这些游人都已迷醉，怎么还会记得丢失的北方国土，落入金人之手的旧都！他们简直把眼前的杭州当成如梦般繁华的都城汴梁了！

晓出净慈寺送林子方①

杨万里

毕竟西湖六月中②，风光不与四时同③。
接天莲叶无穷碧④，映日荷花别样红⑤。

【注释】

①晓出：太阳刚刚升起。净慈寺：全名“净慈报恩光孝禅寺”，与灵隐寺齐名，为杭州西湖南北山两大著名佛寺。林子方：作者的朋友。

②毕竟：到底。六月中：六月的时候。

③四时：春、夏、秋、冬四个季节。在这里指六月以外的其他时节。同：相同，一样。

④接天：与天空相接。无穷：无边无际。无穷碧：因莲叶面积很广，似与天相接。用夸张的手法呈现无穷的碧绿。

⑤别样：宋代俗语，特别，不一样。

【译文】

六月的西湖景色到底跟其他的季节不同，莲叶满湖，碧绿碧绿的一望无边，仿佛与天相接，而荷花在太阳的映射下显得特别红艳、耀眼。

饮湖上初晴后雨①

苏轼

水光潋滟晴方好②，山色空蒙雨亦奇③。
欲把西湖比西子④，淡妆浓抹总相宜⑤。

【注释】

①湖：西湖。

②潋滟（liàn yàn）：水面波光闪动的样子。方好：正显得很美。

③空蒙：迷茫的样子。

④西子：西施，春秋时代越国有名的美人。

⑤相宜：相称，合适。

【译文】

在阳光的照耀下，西湖水光闪动，看起来十分美丽。下雨时，青翠色的远山在云雾的笼罩下半明半暗，隐隐约约，西湖也显得非常奇妙。如果把西湖比作古时的美人西施，无论是淡雅还是浓艳，怎样装扮都是那样美丽动人。

入直①

周必大

绿槐夹道集昏鸦，敕使传宣坐赐茶②。
归到玉堂清不寐③，月钩初上紫薇花。

【作者简介】

周必大（1126—1204），字子充，一字洪道，自号平园老叟，吉州庐陵（今属江西）人。南宋著名政治家、文学家。官至左丞相，封益国公。与陆游、范成大、杨万里等都有交往。

【注释】

①诗题又作《入直召对选德殿，赐茶而退》。诗作于宋孝宗乾道七年（1171）七月，诗人任左丞相。写入直召对后难以入睡，表现出对皇帝的感激及对国事的关心。入直：也作入值，古代称官员入宫禁值班供职。召对：被皇帝召去议事。选德殿：宫殿名。

②敕：指皇帝的诏令。

③玉堂：翰林院。

【译文】

在皇宫里道路两边长着高大茂盛的槐树，黄昏时，许多归巢栖息的乌鸦落在了树上，传旨官让我到选德殿去朝见皇帝，皇帝赐坐赐茶，让我感到皇恩深厚。我回到翰林院后，想到皇帝对我的恩遇，心中觉得十分荣幸，神清气爽，久久没有睡意，一直到一弯新月照到紫薇花上。

夏日登车盖亭[1]

蔡确

纸屏石枕竹方床[2]，手倦抛书午梦长。
睡起莞然成独笑，数声渔笛在沧浪[3]。

【作者简介】

蔡确（1037—1093），字持正，泉州晋江（今福建泉州）人。北宋诗人。

【注释】

①蔡确曾支持王安石变法，后变法失败，新党受到排斥。元祐元年

（1086），蔡确被贬到陈州。第二年又因为受弟弟牵连，被贬知安州（今湖北安陆）。夏日登车盖亭，共作十首诗，此其第二首，着意刻画了作者贬官后的闲散之情和对隐居生活的向往。

②纸屏：纸做的屏风。竹方床：方形竹床。

③渔笛：渔人吹的笛声。沧浪：原指水色清苍，这里是水面的意思。

【译文】

夏日，在亭中纳凉，躺在纸屏遮挡的竹方床上，头枕着石枕，翻看着文章，感到微微有些困倦，我随手把书丢在一旁，不知不觉进入了梦乡。一觉醒来，只觉人生如梦，富贵只在虚无缥缈之间，这时，听见水面上传来阵阵捕鱼人的笛声。

直玉堂作①

洪咨夔

禁门深锁寂无哗②，浓墨淋漓两相麻③。
唱彻五更天未晓④，一墀月浸紫薇花⑤。

【作者简介】

洪咨夔（1176—1236），字舜俞，号平斋，于潜（今浙江临安）人。南宋诗人。

【注释】

①诗题又作《六月十六日宣锁》，书写在翰林院替皇帝起草诏书时踌躇满志的酣畅之情。

②禁门：宫门。

③淋漓：酣畅的样子。麻：唐宋时任命大臣用麻纸颁诏，此处代指诏书。

④唱：古时皇宫里有人专门管唱晓报时。

⑤墀（chí）：宫殿前的台阶，也指地面。

【译文】

夜晚时分，宫门紧锁，宫廷内外戒备森严，肃穆寂静。我饱蘸墨汁，挥洒自如，用很短的时间就写好了两份诏书。宫中唱晓的太监已报过五更，天还未亮，台阶上落满的紫薇花浸润在皎洁清亮的月光之中。

竹楼

李嘉祐

傲吏身闲笑五侯[①]，西江取竹起高楼。
南风不用蒲葵扇[②]，纱帽闲眠对水鸥。

【作者简介】

李嘉祐（719?—781?），字从一，赵州人。唐玄宗天宝七年（748）进士。诗作多华美婉丽。

【注释】

①傲吏：清高孤傲的小官吏。

②蒲葵扇：蒲葵叶做成的扇子。

【译文】

我是个恃才傲物的清闲小吏，不羡慕达官显贵的尊宠。在江边搭起了一座竹楼，居住在上面，一阵阵凉风拂来，哪怕在酷热的夏天也不用摇动扇子。且把官帽子放在一边，与江边的水鸥相对，安闲自在地歇息。

直中书省[①]

白居易

丝纶阁下文章静[②]，钟鼓楼中刻漏长[③]。
独坐黄昏谁是伴，紫薇花对紫微郎[④]。

【作者简介】

白居易（772—846），字乐天，晚年又号香山居士，祖籍山西太原，后迁居到下邽（guī）（今陕西渭南）。唐代著名诗人。他的诗歌题材广泛，形式多样，语言平易通俗，重讽喻，对后世影响很大。有《白氏长庆集》传世，代表诗作有《长恨歌》《卖炭翁》《琵琶行》等。

【注释】

①诗又名《紫薇花》，作于长庆元年（821），白居易任中书舍人入直中书省时。

②丝纶阁：指替皇帝撰拟诏书的地方。

③刻漏：古时用来滴水计时的器物。

④紫微郎：唐代官名，指中书舍人。因中书省曾改名紫微省，取天文紫微垣的含义，因此而得名。

【译文】

我在中书省的丝纶阁值班，没什么文章可写，周围一片寂静，只听到钟鼓楼传来的刻漏的滴水声，觉得时间过得太慢了。在这寂寞的黄昏，只有我一个人孤独坐着。有谁陪着我呢？唯独盛开的紫薇花和我这个紫微郎默默地相对。

观书有感

朱熹

半亩方塘一鉴开①，天光云影共徘徊。
问渠那得清如许②，为有源头活水来③。

【注释】

①方塘：又称半亩塘。诗以方塘作比，抒发了读书时茅塞顿开的喜悦心情，说明只有多读书才能有开阔的境界。

②渠：指方塘。那（nǎ）得：怎么会。清如许：这样清澈。

③活水：流动的水。比喻知识是不断更新和发展的。

【译文】

半亩大的方形池塘里清澈纯净，如一面镜子般，蓝色的天空在水中倒映。为什么方塘中的清波会如此澄澈呢？是因为源头有源源不断的活水输送进来。

泛舟①

朱熹

昨夜江边春水生，艨艟巨舰一毛轻②。
向来枉费推移力③，此日中流自在行④。

【注释】

①本作为《观书有感二首》之二，诗以泛舟作比，说明做事一定要尊重客观规律，客观条件达到了，就能收到事半功倍的效果。

②艨艟（méng chōng）：古代战船。

③向来：从前，指春水未涨之时。枉费：白费。推移力：推船使船移动的力气。

④中流：水流的中央。

【译文】

昨夜，江中的春水大涨，那艘沉重而庞大的战船变得犹如一根羽毛，轻巧无比，以往花费许多力量也不能推动它，现在在水中却能自在地移动。

冷泉亭①

林稹

一泓清可沁诗脾②，冷暖年来只自知③。
流出西湖载歌舞，回头不似在山时。

【作者简介】

林稹（zhěn），字丹山，长洲人（今江苏苏州）人。宋神宗熙宁九年（1076）进士。

【注释】

①冷泉亭：在杭州西湖灵隐寺飞来峰下，亭前有冷泉，据说通西湖。诗人以冷泉作比，感叹善始善终的不易，表达出诗人对当时社会黑暗、污浊之风盛行的愤懑，对坚持自己节操者的崇敬与赞美。

②诗脾：指诗思、诗兴。

③只自知：表示别人无法理解。

【译文】

冷泉水清幽深，使人神清气爽，无尽的诗情被激发出来。寒来暑往，一年年地过去，泉的冷暖只有它自己知道，又有谁能够理解知晓？它流淌进了西湖，浮载着歌舞画舫，那时，与在山中时的清澈相比，早已不是同一面貌了。

冬景①

苏轼

荷尽已无擎雨盖②，菊残犹有傲霜枝③。
一年好景君须记④，最是橙黄橘绿时⑤。

【注释】

①诗题一作《赠刘景文》，是苏轼于元祐五年（1090）在杭州任知州时送给好友刘景文（名季孙）的一首勉励诗。

②荷尽：荷花枯萎、凋谢。擎：举，向上托。

③傲霜：不怕霜冻寒冷，坚强不屈。

④须记：一定要记住。

⑤橙黄橘绿时：橙子发黄、橘子将黄犹绿的时节，指秋末冬初。

【译文】

盛夏早已过去，不但荷花一片片凋落，就连那夏日伸展着的碧绿荷叶也凋残了。在寒霜之中，那开败了的菊花依然傲然挺立。此时有一年中最好的景致，你一定要记住，那就是在橙子已变得金黄，橘子要转黄，还带着些绿的秋末时节呀！

枫桥夜泊①

张继

月落乌啼霜满天，江枫渔火对愁眠。
姑苏城外寒山寺②，夜半钟声到客船③。

【作者简介】

张继，生平事迹不详，字懿孙，襄州（今湖北襄阳）人。唐代诗人。约在天宝十二年（753）中进士。他的诗爽朗激越，不事雕琢，比兴幽深，对后世颇有影响，但可惜流传下来的只有四十多首，最著名的当属《枫桥夜泊》。

【注释】

①枫桥：在今苏州市阊门外。此诗题目也作《晚泊》，作于诗人客居苏州时。诗句生动地写出了夜泊时的见闻与感受，在一种幽静凄迷之中散发出淡淡的孤寂与惆怅。夜泊：夜间把船停靠在岸边。

②姑苏：苏州的别称，因城西南有姑苏山而得名。寒山寺：在枫桥附近，始建于南朝梁。相传因唐代僧人寒山、拾得曾住此而得名。

③夜半钟声：当时寺院有半夜敲钟的习惯，也叫“无常钟”。

【译文】

月已西沉，从不远处传来乌鸦的啼叫声，江上暮色朦胧，霜色漫天。江边枫树静静地立着，江面的船上渔火点点，孤独的我心中愁闷，难以入眠。姑苏城外寂寞清静的寒山古寺，半夜里敲响的钟声飘忽而来，传到了我乘坐的客船里。

寒夜

杜耒

寒夜客来茶当酒，竹炉汤沸火初红[①]。
寻常一样窗前月，才有梅花便不同。

【作者简介】

杜耒（？—1227），字子野，号小山，南城（今江西抚州）人。南宋诗人。理宗宝庆三年（1227）死于军乱之中。

【注释】

①竹炉：外面套着竹篾套子的火炉。汤沸：热水沸腾。

【译文】

在冬天的夜晚，有朋友来做客，以茶代酒。我吩咐小童煮茶，炉中火慢慢红了起来，水在壶中沸腾着，屋子里变得十分暖和。窗前，月光如水，与平时的夜色十分相似，但窗前的几枝梅花在银色月光的映照下静静地开放，幽香飘动，使得今晚的月色显比往日更有意趣了。

霜月

李商隐

初闻征雁已无蝉[①]，百尺楼台水接天[②]。
青女素娥俱耐冷[③]，月中霜里斗婵娟[④]。

【作者简介】

李商隐（812—858），字义山，号玉溪生、樊南生，祖籍河内（今河南沁阳）。唐代著名诗人，和杜牧合称“小李杜”。

【注释】

①征雁：远飞的雁。已无蝉：已经听不到蝉声鸣叫。

②百尺楼台：泛指高楼。

③青女：神话中的霜神。素娥：月中的嫦娥。

④婵娟：形容姿态美好。

【译文】

秋天里，树枝上已听不到吵闹的蝉鸣声，万里长空，南迁的大雁发出哀鸣。在月色皎洁，寒霜清冷的夜晚，我独倚高楼，眼前水光与天色相接，一片清冷。霜神青女与月中的嫦娥仙子都不畏惧严寒，在冷月寒霜之中争美斗妍，看谁冰清玉洁的姿容更美。

梅

王淇

不受尘埃半点侵①，竹篱茅舍自甘心②。
只因误识林和靖③，惹得诗人说到今。

【作者简介】

王淇，北宋诗人，生平事迹不详。

【注释】

①尘埃：尘土，比喻污浊的事物。侵：侵蚀，污染。

②甘心：快意。

③林和靖：即北宋诗人林逋（bū），他以冰清玉洁的品格为世人所称道，后世流传着“梅妻鹤子”的传说。他的《山园小梅》中的名句“疏影横斜水清浅，暗香浮动月黄昏”成为咏梅的绝句。

【译文】

梅花有着脱俗超群的品格，不受俗尘的半点侵蚀，宁静雅致地生长在竹篱一侧和茅舍边上。只因为错误地结识了一生为梅花痴狂的林和靖，使诗人咏梅之风大兴，一直吟咏至今。

早春

白玉蟾

南枝才放两三花①，雪里吟香弄粉些②。
淡淡著烟浓著月③，深深笼水浅笼沙。

【作者简介】

白玉蟾(1194—1229)，南宋道人，祖籍福建闽清，生于琼州(今海南琼山)。

【注释】

①南枝：向南的梅枝。

②弄：赏玩。粉：白色。此处指梅花的白颜色。些：语末语气助词。

③著：罩着。

【译文】

初春，有两三朵朝阳的梅花在枝头绽放。一场雪纷纷飘落，我趁着澄澈空明的月色在雪地里赏梅。那阵阵清香，洁白的颜色，让人心旷神怡。花朵刚刚绽放，颜色浓淡不一，雾色弥漫之中，朦胧的月光洒在花朵上，那色浓的花朵就像笼罩着寒冷的水一般，色淡的花朵上，如同笼罩着清白明净的沙子。

雪梅　其一

卢梅坡

梅雪争春未肯降①，骚人阁笔费评章②。
梅须逊雪三分白，雪却输梅一段香。

【作者简介】

卢梅坡，生平不详。南宋诗人。“梅坡”不是他的名字，而是他自号为梅坡。

【注释】

①降（xiáng）：服输。

②骚人：诗人。阁笔：放下笔。阁，同“搁”，指放下。评章：评议的文章，这里指评论梅与雪的高下。

【译文】

梅花与白雪各自都认为自己占尽了春色，谁也不肯认输。这可难坏了我，为它们做出评判的文章实在难写。在晶莹洁白上，梅花稍微落后白雪几分，而在散发清香上，白雪自然输给梅花。

雪梅　其二①

方岳

有梅无雪不精神，有雪无诗俗了人②。
日暮诗成天又雪，与梅并作十分春③。

【作者简介】

方岳（1199—1262），字巨山，号秋崖，祁门（今属安徽）人。南宋诗人、词人。

【注释】

①诗见方岳《秋崖集》卷四《梅花十咏》第九首。一种说法认为这首诗的作者为卢梅坡。

②俗了人：让人觉得庸俗。

③十分春：春色十足。

【译文】

冬日里，梅花绽放的时候如果不赶上下雪的话，让人觉得缺少神韵。如果下雪了却没有诗文吟咏，也会非常俗气。冬天的傍晚，夕阳西下，写好了诗，刚好天空又飘落了雪花。梅与白雪争奇斗艳，像春天一样生机勃发。

答钟弱翁

牧童

草铺横野六七里[①]，笛弄晚风三四声[②]。
归来饱饭黄昏后，不脱蓑衣卧月明[③]。

【作者简介】

这首《答钟弱翁》载于南宋诗人刘克庄编的《千家诗》中，作者署名“牧童”。钟弱翁，名叫钟傅，字弱翁，生活于北宋末南宋初年。以此可推断这位“牧童”也是宋代诗人。钟弱翁官场失意，被连连降职，这首诗是在安慰他，也是在劝勉他，不必争功名利禄那些虚无的东西，早日去过一种闲逸的生活。

【注释】

①横野：宽阔的原野。

②弄：逗弄。

③蓑衣：棕或草编的外衣，用来遮风挡雨。

【译文】

一望无际的原野上，晚风吹拂，牧笛声悠扬悦耳，从远处随风飘来。牧童放牧回来，吃过晚饭，已过黄昏，他连蓑衣也没有脱去，在月夜里睡去了。

泊秦淮[①]

杜牧

烟笼寒水月笼沙，夜泊秦淮近酒家。
商女不知亡国恨[②]，隔江犹唱后庭花[③]。

【注释】

①秦淮：即秦淮河，发源于江苏，经南京流入长江。相传为秦始皇南巡会

稽时开凿的，用来疏通淮水，所以被称为秦淮河。泊：停泊。

②商女：以卖唱为生的歌女。

③后庭花：歌曲《玉树后庭花》的简称。南朝陈后主陈叔宝沉溺于声色，作此曲与后宫美女享乐，终致亡国，后世称此曲为“亡国之音”。

【译文】

河水之上弥漫着烟雾，月色洒在白色沙渚之上。夜幕之下，我乘坐的船停泊在秦淮河畔，临近酒家。那些歌女似乎不知道何为亡国之痛，隔着秦淮河水，依然在唱那首淫靡的亡国之曲《玉树后庭花》。

归雁①

钱起

潇湘何事等闲回②，水碧沙明两岸苔。
二十五弦弹夜月③，不胜清怨却飞来④。

【作者简介】

钱起（约712—780），字仲文，吴兴（今浙江湖州）人。早年数次赴试落第，唐玄宗天宝七年（748）中进士。他的诗多是应酬之作。

【注释】

①诗歌运用拟人的手法，通过人与雁的对话，表达出诗人的羁旅之思。

②潇湘：潇水和湘水，在今湖南境内。等闲：轻易，随便。

③二十五弦：指瑟。《楚辞·远游》：“使湘灵鼓瑟兮。”

④胜：承受。

【译文】

大雁啊，潇湘一带风景优美，食物丰富，你为什么轻易离开那里，回到北方呢？大雁回答：潇湘那里是个好地方，本来是适宜常住下去的。可是，湘灵之神常在清冷的月夜里弹琴，她拨弄那琴弦，悲伤的曲子连绵不断，那音调实在太凄清、太哀怨了，我的心承受不住，只好飞回北方。

题壁①

无名氏

一团茅草乱蓬蓬，蓦地烧天蓦地空②。
争似满炉煨榾柮③，慢腾腾地暖烘烘。

【注释】

①这首通俗易懂，诙谐幽默的打油诗作于北宋神宗熙宁二年（1069），王安石实行变法之后。通过描写蓬草和树榾柮燃烧时的不同情形，向人们展现了两种不同的人生态度；也有人把它引申为比喻小人得势，只是一时气焰嚣张，一旦身败名裂，一切荣华富贵都将烟消云散；也有人根据它的大致创作时间来分析，认为是讽刺王安石推行的新政。

②蓦：突然。

③争似：怎似，哪里比得上。榾柮（gǔ duò）：树根疙瘩。

【译文】

一团乱蓬蓬的茅草被点着，瞬间升腾起烈焰，又在转眼之间灰飞烟灭。倒不如那炉子里的树蔸，烟火慢慢地烧着，却十分持久，使整个屋子都暖烘烘的。

七言律诗

早朝大明宫[①]

贾至

银烛朝天紫陌长[②]，禁城春色晓苍苍。
千条弱柳垂青琐[③]，百啭流莺绕建章[④]。
剑佩声随玉墀步[⑤]，衣冠身惹御炉香。
共沐恩波凤池上[⑥]，朝朝染翰侍君王[⑦]。

【作者简介】

贾至（718—772），字幼邻，洛阳人，礼部侍郎贾曾之子。唐代诗人。官至中书舍人，后调职汝州刺史，接着贬官岳州司马。代宗宝应元年（762）复职中书舍人，最后官至右散骑常侍。贾至能文能武，工诗，诗风清畅、俊逸，受到当时人的赞誉。

【注释】

①原题为《早朝大明宫呈两省僚友》，两省指位于大明宫左右的中书省和门下省。本诗写于肃宗乾元元年（758）春天，肃宗举行阅军仪式后，在大明宫含元殿大赦天下。贾至写作了此诗。早朝：臣子早上朝见皇上。大明宫：唐宫殿名，举行国家大典，皇帝朝见百官多在此举行。

②银烛：蜡烛，有银饰的烛台。此指百官早朝时点起的灯火。紫陌：京城长安的路。

③青琐：皇宫门窗上的装饰，代指宫门。

④建章：汉代宫名，代指大明宫。

⑤剑佩：宝剑和玉佩。

⑥凤池：即凤凰池，在大明宫内，中书省所在地。

⑦染翰：写文章。

【译文】

文武官员点燃灯火来朝见天子，烛光照亮了皇宫里漫长的街道，皇城中春意正浓，柳树在道旁亭亭而立，枝条拂动，垂在宫门上，黄莺清脆地歌唱，叫声回旋在建章宫上。大臣们身上的宝剑和玉佩发出轻响，大家依次走上大殿，衣冠上沾染了御香炉里散发出的香气。早朝开始，沐浴着皇恩的臣子们站在凤凰池上，开始按部就班地协助君王处理国家事务了。

和贾舍人早朝①

杜甫

五夜漏声催晓箭②，九重春色醉仙桃③。
旌旗日暖龙蛇动④，宫殿风微燕雀高。
朝罢香烟携满袖，诗成珠玉在挥毫。
欲知世掌丝纶美⑤，池上于今有凤毛⑥。

【注释】

①本诗是贾至《早朝大明宫》的和诗，写作时间同为758年春天。诗中描绘了杜甫早朝时所见之景，表达了群臣对皇恩的感激，并称赞贾至的世家风范，才干过人。和：唱和，以诗词酬答对方。舍人：官名，中书舍人。

②五夜：天快亮时。箭：漏箭，计时的工具。

③九重：皇帝居住的地方。

④龙蛇：旌旗上的图案。

⑤世掌丝纶：世代掌握皇帝的诏书。贾至及其父皆担任过中书舍人，掌管拟诏敕，故称“世掌”。

⑥凤毛：凤毛麟角，此处比喻贾至有才干。

【译文】

五更将到，拂晓就要到来，皇宫中春色正浓，桃花如喝醉酒一般鲜红。绣着龙纹的旌旗飘扬着，宫殿周围微风习习，燕雀飞翔。早朝结束后，朝臣的双袖里携满了御炉的香气，写作出珠玉般美妙的文章。如果想知道这世代掌管为皇上起草诏书之人的荣耀的话，只要看看中书省的才子贾至就明白了。

和贾舍人早朝①

王维

绛帻鸡人报晓筹②，尚衣方进翠云裘③。
九天阊阖开宫殿，万国衣冠拜冕旒④。
日色才临仙掌动⑤，香烟欲傍衮龙浮⑥。
朝罢须裁五色诏⑦，珮声归到凤池头⑧。

【注释】

①本诗也是《早朝大明宫》的和诗，描写出大明宫早朝时的气氛与帝王的威严，称赞贾至受到皇帝的器重。

②绛帻（zé）：红色的头巾，似鸡冠状。鸡人：古代宫中于天将亮的时候，有头戴红巾的卫士，于朱雀门外高声喊叫，好像鸡鸣，以警百官，被称为鸡人。晓筹：夜间计时的竹签。

③尚衣：官名，掌管皇帝的衣服。翠云裘：装饰着绿色云纹的皮衣。

④衣冠：指文武百官。冕旒（miǎn liú）：帝王、诸侯及卿大夫的礼冠。旒，冠前后悬垂的玉串，天子之冕十二旒。这里指皇帝。

⑤仙掌：障扇，宫中的一种仪仗。

⑥香烟：这里是和贾至原诗"衣冠身惹御炉香"的意思。衮龙：犹卷龙，指皇帝的龙袍。浮：袍上闪动着的锦绣光泽。

⑦五色诏：用五色纸所写的诏书。

⑧珮（pèi）声：走动时身上的珮玉发出的响声。

【译文】

报时的官员头戴红巾，手执更筹报完晓，更衣官为皇帝送上翠云裘。皇宫打开了金红色的宫门，各国的使臣都躬身朝拜皇帝。日光初照，遮阳的障扇在晃动，香烟缭绕，黄袍上锦绣飘浮。早朝结束后又为皇帝草拟诏书，回去的路上珮玉叮当作响。

和贾舍人早朝①

岑参

鸡鸣紫陌曙光寒②，莺啭皇州春色阑③。
金阙晓钟开万户④，玉阶仙仗拥千官⑤。
花迎剑佩星初落，柳拂旌旗露未干。
独有凤凰池上客，阳春一曲和皆难。

【作者简介】

岑参（约715—770），原籍南阳（今河南新野），迁居江陵（今属湖北）。唐代著名的边塞诗人。其诗歌富有浪漫主义特色，气势雄伟，想象丰富，色彩瑰丽，热情奔放。代表作为《白雪歌送武判官归京》。

【注释】

①本诗同样是《早朝大明宫》的和诗。写出了皇宫的富丽与恢宏，并称赞贾至的文采与诗艺。

②紫陌：京都的道路。

③皇州：指长安。

④金阙：指天子所居的宫殿。

⑤仙仗：指皇帝的仪仗。

【译文】

拂晓时分，雄鸡高唱，稍稍带着一些寒意的曙光微照着京都的路，黄莺婉转鸣叫，长安城里已是春光无限。望楼晓钟响过，宫殿都已打开，台阶前仪仗林立，百官登上玉阶，步入宫殿之中。启明星渐渐淡去，花径迎来佩剑的侍卫。晨露未干，柳条轻拂着旌旗。唯有在中书省做官的舍人贾至的一首早朝诗是一首高雅的曲调，让人难以唱和。

上元应制①

蔡襄

高列千峰宝炬森②，端门方喜翠华临③。
宸游不为三元夜④，乐事还同万众心。
天上清光留此夕，人间和气阁春阴⑤。
要知尽庆华封祝⑥，四十余年惠爱深。

【作者简介】

蔡襄（1012—1067），字君谟，兴化仙游（今属福建）人。北宋著名书法家、政治家、茶学专家。蔡襄为人忠厚、正直，且学识渊博，书艺高深，其书法浑厚端庄，淳淡婉美，自成一家。书法史上论及宋代书法，素有“苏、黄、米、蔡”四大书家的说法。

【注释】

①作于宋仁宗嘉祐八年（1063）正月十五上元之夜，诗人随驾观灯，奉命写作这首诗。上元：元宵节。应制：应皇帝之命写诗作文。

②森：排列耸立。

③端门：宫殿的正门。翠华：用翠鸟羽毛装饰的旗帜，用作皇帝的仪仗。此指皇帝的车驾。

④宸（chén）游：帝王出游。三元：农历正月十五为上元，七月十五为中元，十月十五为下元，合称三元。此处指上元。

⑤阁：同“搁”，停留。春阴：春天时的花木荫处。

⑥华封祝：传说尧帝到华州去，华州封人（守边疆的人）祝他长寿、富有、多子，后人称为“华封三祝”。

【译文】

一簇簇彩灯高高悬挂，像一座座山峰延绵起伏，花灯中间还点着精美的蜡烛。元宵佳节之日，皇帝的御驾正来到皇宫的正门口。巡游不是为了赏灯，而是为了与万民同乐。清澈温柔的圆月仿佛也留恋这美好的时光，在夜空中徘徊。万民幸福安乐，暖人的春意也在花草树木之间停下脚步。万民向皇帝祝福，感谢他在位四十余年给天下百姓带来的深厚恩惠。

上元应制①

王珪

雪消华月满仙台②，万烛当楼宝扇开③。
双凤云中扶辇下④，六鳌海上驾山来⑤。
镐京春酒沾周宴⑥，汾水秋风陋汉才⑦。
一曲升平人共乐，君王又尽紫霞杯。

【作者简介】

王珪（1019—1085），字禹玉，华阳（今四川成都）人。宋仁宗庆历二年（1024）进士。辅佐英宗、神宗、哲宗三位皇帝，哲宗时被封为岐国公。其诗文辞藻华丽，著有《华阳集》。

【注释】

①诗题一作《依韵恭和御制上元观灯》，为皇帝《上元观灯》的和诗。

②华月：明亮的月光。仙台：宫中的楼台。

③当：对着。

④双凤：皇帝身边的宫女。

⑤六鳌：《庄子》中说，在苍茫的大海上有三座仙山，下面有六只鳌稳稳地驮着。

⑥镐京：镐为今天西安，是西周的国都，这里代指北宋的都城汴梁（今开封）。

⑦陋汉才：汉武帝君臣显得才能浅陋，比不上当今盛会。

【译文】

白雪融化，月光照射在皇宫的楼台上，万支蜡烛点燃，皇帝左右的羽扇向两旁分开，皇上的车驾光临，犹如六鳌驮山一般，群臣整齐地行礼，高声朝贺。今天的盛会，就像当年的圣明之主周武王在国都镐京大宴宾客，群臣沐浴在皇恩之中；汉代的武帝曾在汾水作《秋风辞》，今天的盛会上群臣赋诗，使汉武帝君臣显得才能浅陋。一曲升平的乐曲使人欢畅，频频举杯向君王敬贺。

侍宴[①]

沈佺期

皇家贵主好神仙，别业初开云汉边[②]。
山出尽如鸣凤岭[③]，池成不让饮龙川[④]。
妆楼翠幌教春住，舞阁金铺借日悬。
敬从乘舆来此地，称觞献寿乐钧天。

【作者简介】

沈佺（quán）期（约656—714），字云卿，相州内黄（今河南内黄）人。唐代诗人。唐高宗上元年间进士。高宗和武后时期的宫廷诗人，以写应制诗而闻名。与宋之问齐名，号称“沈宋”。他们的近体诗格律严谨精密，被誉为律诗的奠基人。

【注释】

①一作《侍宴安乐公主新宅应制》，作于唐中宗景龙三年（709），安乐公主入住新宅，沈佺期奉命作此诗。诗中用夸张的手法，写出安乐公主的富贵奢华，以及受到的皇帝的深厚恩泽。

②别业：别墅。

③鸣凤岭：指岐山，位于陕西凤翔县。因为传说中周朝兴起前这里有凤凰鸣叫而得名。在这首诗里用来说明公主新宅里假山的高大，凤凰也象征着公主

的身份。

④饮龙川：指渭水，这里曾是文王最初兴起的地方。龙象征着皇帝的身份。

【译文】

高贵的公主尊崇神仙，她的别墅建造得高耸入云，仿佛在仙境一般。岐山的鸣凤岭可谓巍峨，园中的假山相比之下却毫不逊色，渭水波澜壮阔，园中一望无边的池塘中漂荡着碧波。梳妆用的起居楼里挂着翠绿帷幔，让春色驻足，而歌舞的阁楼上金色的装饰闪耀着光辉，像是太阳在空中高悬。我伴驾同来公主的新宅祝贺，酒宴上大家觥筹交错，纷纷向皇帝敬酒祝寿，一旁还演奏着喜庆的乐曲《钧天乐》。

答丁元珍①

欧阳修

春风疑不到天涯②，二月山城未见花③。
残雪压枝犹有橘，冻雷惊笋欲抽芽④。
夜闻啼雁生乡思，病入新年感物华⑤。
曾是洛阳花下客⑥，野芳虽晚不须嗟。

【作者简介】

欧阳修（1007—1072），字永叔，号醉翁，晚号六一居士，吉州永丰（今江西永丰）人。因吉州原属庐陵郡，以“庐陵欧阳修”自居。谥号文忠，世称欧阳文忠公。北宋政治家、文学家、史学家，“唐宋八大家”之一。

【注释】

①一作《戏答元珍》，写于宋仁宗景祐四年（1037），欧阳修于前一年作《朋党论》为范仲淹辩护，被贬官，丁元珍作诗相赠，欧阳修以此诗赠答，表达被贬官的苦闷、失意，对故乡的思念，同时也表达出自我宽慰之情。丁元珍：丁

宝臣，字元珍，常州晋陵（今江苏常州市）人，时为峡州军事判官。

②天涯：极边远的地方。诗人贬官夷陵（今湖北宜昌市），距京城十分遥远。

③山城：亦指夷陵。

④冻雷：初春时节的雷。

⑤感物华：感叹事物的美好。物华，美好的景物。

⑥洛阳花下客：欧阳修曾任西京（洛阳）留守推官。洛阳以花著称，北宋时花园十分繁盛，有"天下名园重洛阳"的说法，所以称"洛阳花下客"。

【译文】

春风荡漾，并没有把暖意吹到夷陵这座山城，已进入二月还没有争相开放的野花。橘树的枝丫上，仍挂着未化的残雪。在寒冬中沉睡的春笋被春雷惊醒，舒展出鹅黄的嫩芽。夜阑人静的时候，听到在春天里北归大雁的鸣叫，牵动我心中无限的思乡之情。身在他乡，看到这里与家乡截然不同的新春景色，更让我愁绪不断。唉，想来我也曾经是洛阳胜地的观花人，虽说这里的野花开得晚了些，也没有必要整天长吁短叹。

插花吟

邵雍

头上花枝照酒卮，酒卮中有好花枝[①]。
身经两世太平日[②]，眼见四朝全盛时[③]。
况复筋骸粗康健[④]，那堪时节正芳菲[⑤]。
酒涵花影红光溜[⑥]，争忍花前不醉归[⑦]。

【作者简介】

邵雍（1011—1077），字尧夫，生于范阳，幼年随父迁往衡漳（今河南林县），天圣四年（1026）随父到共城苏门北山。北宋文人，甘于平淡，乐于饮酒著述。宋仁宗与宋神宗时期，两度被举，均称疾不赴。同时他是著名的理学家，在理学的创立阶段，邵雍和周敦颐、张载、程颢、程颐并称“北宋五子”。

【注释】

①酒卮（zhī）：酒杯。

②两世：三十年为一世。两世即六十年。

③四朝：指宋真宗、仁宗、英宗、神宗四位皇帝。

④况复：况且又。筋骸：筋骨。

⑤那堪：更兼。

⑥涵：浸。溜：浮动。

⑦争忍：怎么舍得。

【译文】

插在头上的花枝倒映在杯中的酒里，美丽的花影在酒杯中浮动。我这一生赶上了六十年和乐安康的盛世，目睹了四朝的繁荣。何况我的身体还很健壮，恰逢春季百花盛开的时节。看着酒杯中荡漾的花影，怎么舍得不畅快痛饮，直到大醉而归呢？

寓意[①]

晏殊

油壁香车不再逢，峡云无迹任西东[②]。
梨花院落溶溶月，柳絮池塘淡淡风。
几日寂寥伤酒后，一番萧瑟禁烟中。
鱼书欲寄何由达[③]，水远山长处处同。

【作者简介】

晏殊（991—1055），字同叔，抚州临川（今江西）人。历任要职，御封临淄公，谥号元献，世称晏元献。晏殊乐于提拔后进，如范仲淹、韩琦、欧阳修等，皆出其门。以词著于文坛，尤擅小令，风格含蓄婉丽。同时工诗善文，多才多艺。

【注释】

①寓意：借其他事物寄托本意。以凄凉的景象做渲染，写出情人之间的思念之情和无处诉说的怅然。有一种说法认为诗人借相思之情来抒发求得贤士的渴望。

②峡云：巫山上的云彩。《高唐赋》中与楚王幽会的美人说："妾在巫山之阳，高丘之阻，旦为朝云，暮为行雨；朝朝暮暮，阳台之下。"后来喻情人欢聚为"巫山云雨"。

③鱼书：书信。古诗《饮马长城窟行》中说："客从远方来，遗我双鲤鱼；呼儿烹鲤鱼，中有尺素书。"

【译文】

坐在油壁车中的美人呀，你一去我们就再难相见了，这份情感像萦绕在巫山中的行云一样，飘浮着各自西东。夜晚，月光如水，我站在开满梨花的院子里思念你的妩媚，在微风吹拂柳絮的池塘边想你的倩影。这些天，离情使我寂寞惆怅，借酒浇愁又使身体受到损伤。寒食节各处都禁烟火，让人觉得眼前一片萧索，更加苦闷。我怎么才能寄去思念你的音信呢？山水的无数重阻隔怎么可能让你收到我的信呢？

寒食书事[①]

赵鼎

寂寂柴门村落里，也教插柳纪年华[②]。
禁烟不到粤人国，上冢亦携庞老家[③]。
汉寝唐陵无麦饭，山溪野径有梨花。
一樽竟藉青苔卧，莫管城头奏暮笳[④]。

【作者简介】

赵鼎（1085—1147），字元镇，自号得全居士，解州闻喜

（今属山西）人。南宋政治家、词人。宋高宗时的宰相，有“南宋贤相，首推赵鼎”的赞誉。曾支持岳飞抗金，并推荐岳飞为统帅。由于秦桧等主和势力的残酷迫害，赵鼎只能以死来表示抗争。他临终前自书墓石，最后绝食而死。

【注释】

①诗作于赵鼎被贬潮州期间，描写了岭南民间宁静的生活，衬托出汉唐皇室陵寝的凄凉，表达出对投降派的不满，对山河沦陷的感叹。

②插柳：古人有寒食在门上插柳的习俗。纪：记，标记。

③庞老家：指庞德公一家。庞德公，东汉襄阳人，隐居在岘山种田。荆州刺史刘表几次邀他出来做官，他坚辞不就，带领全家到鹿门山中采药。后来另一个隐士司马徽前去拜访他，正碰上他上坟扫墓归来。此泛指一般平民百姓全家上坟事。

④笳：中国古代北方民族吹奏的一种管乐乐器。

【译文】

即使是只有几户人家的冷清村落，也要在门上插几根刚刚长出嫩叶的杨柳枝，以此标记出节令。寒食的传统虽然没有传到遥远的广东，但在清明时节，上坟奠祭祖先的礼仪和中原并没什么不同。平民百姓去世后有人祭祀，而现在已没有人前去祭祀汉唐两代的王陵了。山间溪流蜿蜒曲折，通往山上的小路旁边开着一树梨花。世事无常，瞬息万变，不是人力所能左右的，不如喝上一杯醉卧在青苔上，全然不去理会傍晚时分在城头响起的笳声。

清明

黄庭坚

佳节清明桃李笑①，野田荒冢只生愁。
雷惊天地龙蛇蛰②，雨足郊原草木柔。
人乞祭余骄妾妇③，士甘焚死不公侯④。
贤愚千载知谁是，满眼蓬蒿共一丘⑤。

【注释】

①桃李笑：用拟人手法形容盛开的桃花与李花。

②“雷惊”句：意思是此时已是清明，早已过了惊蛰的节气，春回大地，万物复苏。蛰，动物冬眠。

③“人乞”句：《孟子》中有一则寓言，说齐国有一个人每天出外向扫墓者乞讨祭祀后留下的酒饭，回家后却向妻妾夸耀是达官贵人请自己吃饭。这是一个虚伪猥琐的形象。

④“士甘”句：引用春秋时介子推宁愿被烧死也不愿出仕的典故。

⑤蓬蒿：杂草。丘：指坟墓。

【译文】

清明时节，桃花朵朵粉红，李花浓郁芬芳，但长满荒草的野地里，有许多埋葬死者的坟茔，墓地里一片凄凉。春雷惊醒大地，生发出勃勃生机，充足的雨水使郊外原野上的草木长得十分茂盛。古代有个齐国人每天都到墓地乞求别人祭奠亲人的饭菜，回到家里，还对妻妾撒谎吹嘘有富贵的人请他喝酒。这种人毫无人格尊严可言。而相反的是，春秋时代的介子推宁可被烧死，不求名利的志向也丝毫不动摇。这不禁让人感叹，虽然人们无论贤愚高低，最后都不过是蓬蒿一丘，但是人生的意义有很大的不相同呀！

清明

高翥

南北山头多墓田，清明祭扫各纷然[①]。
纸灰飞作白蝴蝶，泪血染成红杜鹃。
日落狐狸眠冢上，夜归儿女笑灯前。
人生有酒须当醉，一滴何曾到九泉[②]。

【作者简介】

高翥（1170—1241），初名公弼，后改名翥（zhù），字九万，号菊涧，余姚（今属浙江）人。南宋诗人。高翥少有奇志，但他不屑于举业应试，终生皆为布衣。他游荡江湖，专力于诗，画亦极为出名。七十二岁时死于杭州西湖。与湖山长伴，可谓遂了心愿。

【注释】

①纷然：众多繁忙的意思。

②九泉：指人死后埋葬的地方，古人指阴间。

【译文】

清明这一天，山上到处都是忙着上坟祭拜的人们。焚烧过的纸灰腾空飞舞，像是上下纷飞的白色蝴蝶，悲切的哭泣声好像杜鹃哀啼时要吐出鲜血来一样。黄昏来临，墓地一片荒凉，只有回窝的狐狸躺在坟上睡觉，而上坟归来的儿女们夜晚在灯前有说有笑。人活着的时候就要及时行乐，有酒就该举杯痛饮，有福就该及时享受。不然等去世了之后，儿女们到坟前祭祀时摆上的酒哪有一滴能流到阴间呢？

郊行即事

程颢

芳原绿野恣行时①，春入遥山碧四围②。
兴逐乱红穿柳巷③，困临流水坐苔矶④。
莫辞盏酒十分劝，只恐风花一片飞。
况是清明好天气，不妨游衍莫忘归⑤。

【注释】

①恣行：尽情游玩。

②遥山：远山。

③兴：乘兴。乱红：落花。

④矶（jī）：水边突起的石头。

⑤游衍：恣意游逛。

【译文】

长满了青草的野外，花木秀丽，我畅游其间，目睹已被春色染成一片碧绿的远山。红色花瓣随风飘舞，我乘兴向前追逐，穿过绿柳成行的小巷。感到慵懒时，对着溪流，坐在长着青苔的大石头上休息。不要推辞这杯酒，辜负劝酒人一片诚挚的心意，只怕春尽之时，花儿一片片飞散，再没有这样的美景。况且今日是清明佳节，又遇着晴朗的好天气，极宜游乐，只是不要乐而忘返。

秋千

释惠洪

画架双裁翠络偏①，佳人春戏小楼前②。
飘扬血色裙拖地，断送玉容人上天③。
花板润沾红杏雨④，彩绳斜挂绿杨烟⑤。
下来闲处从容立，疑是蟾宫谪神仙。

【作者简介】

惠洪（1071—1128），字觉范，筠州（今江西）人。北宋诗僧，有“浪子和尚”之名。擅长七言古诗和小词，诗词色彩鲜明，内容丰富绮丽，生活情趣尽在其中。与苏轼等人有交往，著有《筠溪集》《冷斋夜话》等书。

【注释】

①画架：装饰精美刻有纹饰的秋千架。翠络：秋千上色彩翠绿的绳子。

②佳人：美女。

③玉容：似玉面容，此处用了借代手法，指荡秋千的美人。

④红杏雨：红杏枝头的露水。

⑤绿杨烟：碧绿的杨柳树上笼罩的朦朦胧胧的烟雾。

【译文】

彩色的秋千架，两边系着翠色的彩绳，顾盼生辉的佳人春日里在小楼前玩耍。鲜红色的裙子倏忽略过地面，摆动的秋千仿佛要把她送上青天。红杏枝头的露水飘落在秋千的踏板上，彩绳好像斜挂在杨柳间的轻烟里一样。等她从秋千上下来，从容地站立在花荫处，真好像月宫里的嫦娥降到了人间。

曲江　其一①

杜甫

一片花飞减却春②，风飘万点正愁人③。
且看欲尽花经眼，莫厌伤多酒入唇④。
江上小堂巢翡翠⑤，苑边高冢卧麒麟。
细推物理须行乐，何用浮名绊此身。

【注释】

①诗作于肃宗乾元元年（758），时杜甫任左拾遗，之前因上书直言而被皇帝疏远，即将被贬，到华州任司功参军。此时已是暮春，万红飞落，诗人不禁十分伤怀。这时安史之乱尚未结束，曲江一片萧条，诗人面对此时此景，百感交集。曲江：故址在长安东南。

②却：去，掉。

③愁人：使人愁。

④厌：嫌。

⑤巢翡翠：翡翠筑巢。翡翠，一种水鸟，又叫翠雀。

【译文】

一片春花飘落，就会让人感到风光消减。如果千万花瓣被风吹散，是多么令人愁闷。且看花谢花飞，不要因为太伤感而厌烦饮酒。翡翠鸟在曲江边的楼堂上搭窝，芙蓉苑边，原本雄踞的石麒麟倒在墓的旁边。仔细想来，还是应该及时行乐，人生又何必为虚无的浮名所累呢？

曲江　其二

杜甫

朝回日日典春衣[①]，每日江头尽醉归。
酒债寻常行处有[②]，人生七十古来稀。
穿花蛱蝶深深见[③]，点水蜻蜓款款飞[④]。
传语风光共流转[⑤]，暂时相赏莫相违[⑥]。

【注释】

①朝回：上朝回来。典：典当。

②债：欠人的钱。行处：到处。

③蛱（jiá）蝶：蝴蝶。深深：在花丛深处。见：现。

④款款：缓慢。

⑤传语：传话给。风光：春光。共流传：在一起逗留。

⑥违：违背，错过。

【译文】

天气逐渐热起来了，每天上朝回来之后，都把春天穿的衣服拿到当铺里去典当，然后再拿着换得的一点钱到江边买酒痛饮一番，直到喝醉了才肯回来。日子一长，到处都欠下了酒债，不过，这些都是寻常小事。人生苦短，及时享乐吧，自古以来，人能够活到七十岁就很少见了。只见花丛中彩蝶纷飞，蜻蜓贴着水面缓缓地飞，还时不时在水面上轻点一下。告诉春光，让我与它一起逗留吧，虽是暂时相聚，也不要错过啊。

黄鹤楼[①]

崔颢

昔人已乘黄鹤去[②]，此地空余黄鹤楼[③]。
黄鹤一去不复返[④]，白云千载空悠悠[⑤]。

晴川历历汉阳树[6]，芳草萋萋鹦鹉洲[7]。
日暮乡关何处是[8]，烟波江上使人愁。

【作者简介】

崔颢（约704—754），汴州（今河南开封）人。唐玄宗开元十一年（723）进士。崔颢秉性耿直，才思敏捷，其作品激昂豪放，气势宏伟，代表作为《黄鹤楼》。相传李白登临黄鹤楼时诗兴大发，当看到崔颢的这首诗时，不禁感叹道："眼前有景道不得，崔颢有诗在上头。"给予了极大的肯定。

【注释】

①黄鹤楼：故址在湖北武汉武昌，传说古时有一个叫费祎的仙人，在此乘鹤登仙。

②昔人：指传说中的仙人子安。因其曾驾鹤过黄鹤山（又名蛇山），遂建楼。乘：驾。去：离开。

③空：仅仅。

④返：返回。

⑤悠悠：飘荡的样子。

⑥川：平原。历历：清楚可数。汉阳：地名，在今湖北，与黄鹤楼隔江相望。

⑦萋萋：形容草木长得十分繁盛。鹦鹉洲：长江中的小洲，在黄鹤楼东北。

⑧乡关：故乡。

【译文】

传说中的仙人已经乘着黄鹤飞走了，在这里只剩下一座黄鹤楼。黄鹤飞上仙境之后再也没有回到人间，千百年过去了，只有白云悠闲自在地飘荡，晴朗的天气里，登楼远望，汉阳的树木翠色鲜明，鹦鹉洲上，芳草茂盛，郁郁葱葱。天色晚了，眺望远方，我的故乡在哪儿呢？眼前一片烟波浩渺，雾霭笼罩着迷蒙的江面，让人产生无限愁绪。

旅怀

崔涂

水流花谢两无情，送尽东风过楚城①。
蝴蝶梦中家万里，杜鹃枝上月三更。
故园书动经年绝②，华发春催两鬓生③。
自是不归归便得，五湖烟景有谁争④。

【作者简介】

崔涂，字礼山，江南桐庐富春（今浙江富春江一带）人。晚唐诗人。唐僖宗时期中进士，多年漂泊异地。诗作多以漂泊为题材，表现羁旅之思，诗风抑郁苍凉。

【注释】

①楚城：泛指楚地。

②动：动辄，时常。

③华发：花白头发。

④五湖：旧时指滆湖、长荡湖、射湖、贵湖、太湖，这里泛指太湖一带。此处引用范蠡（lǐ）的典故。春秋时越大夫范蠡辅佐勾践灭吴后，急流勇退，隐姓埋名，与西施泛游五湖。

【译文】

水不停地流走，花儿也不断地凋落，显得如此无情。我送走了最后一丝吹过楚地的春风。我像庄周一样做梦，但出现在梦中的不是蝴蝶，而是山水远隔的家乡。醒来时正好是深夜，外面传来杜鹃在树枝上惹人哀伤的啼叫。时常几年都收不到家乡的一封来信，在这万物萌生的春天里，镜中的我两鬓已泛出白发了。我现在抱负未得施展不愿回去，如果肯回就自然回去了，故乡的风景又有谁和我争抢呢？

答李儋[1]

韦应物

去年花里逢君别，今日花开又一年。
世事茫茫难自料，春愁黯黯独成眠[2]。
身多疾病思田里[3]，邑有流亡愧俸钱[4]。
闻道欲来相问讯[5]，西楼望月几回圆。

【注释】

①李儋（dān）：字元锡，诗人的朋友。

②春愁：春天来临而引起的愁绪。黯黯：黯然，沮丧的样子。

③思田里：想念田园故里，想要归隐的意思。

④邑有流亡：指在自己管辖的地区内有百姓因饥荒流亡。愧俸钱：因为没有把百姓安定下来而感到愧对俸禄。

⑤问讯：探望。

【译文】

去年百花盛开的时节正好我和你分别，到今天花开，算来已经过了一年。世事茫茫难以预料，春天的愁闷更让人沮丧伤感，只好孤独地睡去。我体弱多病，早就想归隐田园，但在我管辖的县里依然有灾民迁徙流亡，让人想起来觉得愧对国家发放的这份俸禄呀。听说你要来探望我，我常登上西楼盼望你早点到来，都不知在西楼望见过几回月圆了。

江村

杜甫

清江一曲抱村流[1]，长夏江村事事幽[2]。
自去自来梁上燕，相亲相近水中鸥。
老妻画纸为棋局，稚子敲针作钓钩。
多病所须惟药物，微躯此外更何求[3]。

【注释】

①江：锦江。抱：围绕。

②长夏：盛夏。

③微躯：微贱的身躯，诗人自指。

【译文】

锦江清流澄澈，蜿蜒曲折地绕着村庄流过。夏日里白天时间很长，村子一片宁静。把巢搭在房梁上的燕子自在地飞舞，水中的鸥鸟亲昵地嬉戏。妻子在纸上面画出棋盘，小儿把针敲弯做成鱼钩。除了年老多病需要一些药物之外，我这微贱之人也就没有什么奢求了。

夏日

张耒

长夏江村风日清，檐牙燕雀已生成①。
蝶衣晒粉花枝舞②，蛛网添丝屋角晴。
落落疏帘邀月影③，嘈嘈虚枕纳溪声④。
久斑两鬓如霜雪，直欲樵渔过此生。

【作者简介】

张耒（1054—1114），字文潜，号柯山，楚州淮阴（今江苏清江）人。北宋诗人，“苏门四学士”之一。诗学白居易、张籍，诗风平易，不事雕琢。

【注释】

①檐牙：屋檐，边缘像牙齿一样。

②蝶衣：蝴蝶的翅膀。晒粉：蝴蝶翅膀上的粉。

③落落：稀疏的样子。

④嘈嘈：声音杂乱。

【译文】

在炎热的夏天，村子里难得有今天这样清爽的天气，屋檐下羽翼还未丰满的小燕子和麻雀不断长大。翩跹的蝴蝶扇着翅膀停落在轻轻舞动的花枝上；天气晴好，屋角处的蜘蛛正在吐丝补网。到了晚上，稀疏的月影投射在帘子上，小溪潺潺的水声响在枕畔。早已花白的头发如今白得像雪一样，不如做个樵夫或渔翁，安闲自在地度过余生。

辋川积雨[①]

王维

积雨空林烟火迟[②]，蒸藜炊黍饷东菑[③]。
漠漠水田飞白鹭，阴阴夏木啭黄鹂[④]。
山中习静观朝槿[⑤]，松下清斋折露葵[⑥]。
野老与人争席罢[⑦]，海鸥何事更相疑[⑧]。

【注释】

①诗题一作《积雨辋川庄作》，辋川在今陕西蓝田终南山中，诗人在此有辋川别墅，自天宝三年（744）至十五年（756），他常住在这里。积雨：久雨。本诗意在描写积雨后辋川庄的景物，抒发对幽静生活的喜爱。

②烟火迟：因连日下雨空气湿润，烟火上升缓慢。

③藜（lí）：一种可以食用的野菜。黍（shǔ）：谷物名，古时为主食。饷：送饭食到田里。饷东菑（zī）：给在东边田里耕种的人送饭。菑，开垦了一年的田，指初耕的土地。

④夏木：高大的树木。啭（zhuàn）：小鸟的鸣叫。

⑤槿（jǐn）：落叶灌木，其花朝开夕谢。古人常用此来感悟人生枯荣无常之理，比喻事物变化迅速或时间的短暂。

⑥清斋：食素。露葵：冬葵，古时蔬菜名。

⑦野老：诗人自称。争席罢：指自己要隐退山林，与世无争。

⑧“海鸥”句：《列子·黄帝》中说，古时海上有好鸥者，每天到海上和鸥鸟嬉戏。后来父亲对他说：“你常和鸥鸟嬉戏，它们都不躲避你，不如你把它们

捉回来，让我赏玩一下。”第二天他再到海上去，鸥鸟纷纷在空中飞舞，不再接近他。这里借海鸥喻人事。

【译文】

因为连日下雨，林中没有风而且十分潮湿，从林上空，炊烟缓慢地升起。家妇蒸好了藜菜，煮好黍饭，准备送给村东干活的人们吃。雨后，一望无边的水田上一片迷茫，一行白鹭从空中飞过；夏日，树林的翠色浓荫里，黄鹂在婉转地啼叫着。我在山中修养身心，观赏木槿早晨开放晚上凋谢，并在松下准备了素斋，采摘带着露水的葵叶。我已和村里的那些人相处得很好，没有什么隔阂，淳朴的农民们为什么还要疏远我呢？

新竹①

陆游

插棘编篱谨护持②，养成寒碧映涟漪③。
清风掠地秋先到，赤日行天午不知。
解箨时闻声簌簌④，放梢初见影离离⑤。
归闲我欲频来此，枕簟仍教到处随⑥。

【作者简介】

陆游（1125—1210），字务观，号放翁，越州山阴（今浙江绍兴）人。南宋著名诗人。创作诗歌今存九千多首，内容极为丰富。

【注释】

①诗题一作《东湖新竹》，本诗通过描写新竹给人带来的清新之感，表达出诗人内心的欣喜，以及对退居的渴望。

②棘：荆棘。谨：小心。护持：保护维持的意思。

③涟漪：细小的波纹。

④解箨（tuò）：此处指笋皮脱落。箨，竹笋上一片一片的皮。簌：拟声词，

这里指笋皮脱落的声音。

⑤离离：稀疏。

⑥簟（diàn）：竹席。

【译文】

竹子刚刚长出时，用带刺的荆棘编成篱笆，小心翼翼地保护好新竹。等新竹长高时，碧绿一片，倒映在水波之中。夏日的风掠过，一阵清凉，人们就以为秋天提前到来了。烈日当头，人们也不再感到夏日正午的酷热了。顶着的笋壳脱落时，发出簌簌的声响，枝梢伸展开来的时候，竹影纵横交错。隐逸闲适的时候，我常到这里，并且随身带着枕头和竹席，以便随地小憩。

表兄话旧[①]

窦叔向

夜合花开香满庭[②]，夜深微雨醉初醒。
远书珍重何由达[③]，旧事凄凉不可听。
去日儿童皆长大[④]，昔年亲友半凋零[⑤]。
明朝又是孤舟别，愁见河桥酒幔青[⑥]。

【作者简介】

窦叔向，字遗直，唐代扶风（今陕西凤翔）人。他擅长五言诗，在当时受到人们的称赞。

【注释】

①诗题又作《夏夜宿表兄话旧》，本诗用清新的语言，把乱后重逢的喜悦、感慨与又将分别的惆怅表现出来。话旧：叙谈过去的事。

②夜合：即合欢，落叶乔木。

③远书：从远方来的信。

④去日：离开的日子。

⑤凋零：指死去，这里是婉转的说法。

⑥酒幔：酒店门前招揽客人的幌子。

【译文】

夜合花开了，整个院子香气怡人，夜已经深了，又飘落起细雨，我喝醉了酒，刚有些清醒。想起从远方寄来的书信，是多么珍贵呀。可是，我又怎么回信答复呢？提起往事，简直不堪回首，心中充满了悲凉。我离开家乡时的那群孩子们，现在都早已长大成人，而从前的一些亲朋好友现在大多去世了。明天，你又要独自一个人坐船回去了。想起我们就要话别，看见河桥旁边那青色的酒旗，我的心里别提有多凄凉。

偶成①

程颢

闲来无事不从容②，睡觉东窗日已红③。
万物静观皆自得④，四时佳兴与人同⑤。
道通天地有形外⑥，思入风云变态中。
富贵不淫贫贱乐⑦，男儿到此是豪雄。

【注释】

①这首诗是《秋日偶成二首》中的一首，是一首表达诗人哲学思想的哲理诗。全诗描绘出诗人潜心治学的生活，以及体验到世间真知的快乐之情。

②从容：不慌不忙。

③睡觉（jué）：一觉醒来。

④静观：仔细观察。

⑤四时：春、夏、秋、冬四季。

⑥道：我国古代的一个基本哲学概念，相当于道理、真理、规律。通：贯通。

⑦富贵不淫贫贱乐：语出《孟子·滕文公下》：“富贵不能淫，贫贱不能移，威武不能屈，此之谓大丈夫。”《论语·雍也》：“一箪食，一瓢饮，在陋巷，人不堪其忧，回也不改其乐。”即富贵不能乱志，身处贫贱之中仍然恬淡自乐。

【译文】

心情宁静安闲，做事情从容不迫。一觉睡醒，火红的太阳已高高升起，照在东窗上了。潜心地观察万物，就可以得到自然的乐趣。世间的人们对春、夏、秋、冬各个时节美好景物的兴致是没什么差别的。道理贯通于天地之间，思想渗透于事物变化之中。只要做到富贵而不骄奢淫逸，贫贱而可以保持快乐的心境，这样的人就算得上世间豪杰了。

游月陂

程颢

月陂堤上四徘徊①，北有中天百尺台②。
万物已随秋气改，一樽聊为晚凉开③。
水心云影闲相照，林下泉声静自来。
世事无端何足计④，但逢佳节约重陪⑤。

【注释】

①月陂：月形的池塘。堤：堤岸。徘徊：来回走动。

②中天：半空中，这里形容台高。

③樽：古代盛酒的器具。聊：暂且。

④无端：没有头绪。计：算计，计较。

⑤约：预约。重陪：再来陪赏。

【译文】

我在弯月形的池塘堤岸上来回走动，向四下远望，北面是高耸入云的百尺楼台。进入秋天后，万物都随之发生变化，显出萧条的迹象。暂且趁着水边傍晚的凉意，畅饮几杯。水里白云的倒影悠闲地飘动，仿佛是云彩在水中映照自己的倩影，林中泉水静静地流淌。世事往往变化无常，何必去计较太多呢？只要遇到好的时节，便和朋友相约，再来游玩一番。

秋兴　其一[1]

杜甫

玉露凋伤枫树林[2]，巫山巫峡气萧森[3]。
江间波浪兼天涌[4]，塞上风云接地阴[5]。
从菊两开他日泪[6]，孤舟一系故园心[7]。
寒衣处处催刀尺[8]，白帝城高急暮砧[9]。

【注释】

①这是《秋兴（xìng）八首》中的第一首。代宗大历元年（766），诗人漂泊中暂住夔州（今四川奉节），因见秋景而发出对家国及自身遭遇的感叹。诗歌写夔州一带的秋景，寄寓他自伤漂泊、思念故园的心情。

②玉露：白露，霜。凋伤：摧残，使草木凋落。

③巫山巫峡：指夔州一带的长江和峡谷。萧森：萧瑟阴森之气。

④兼天涌：波浪滔天。

⑤塞上：指巫山。接地阴：风云盖地。

⑥从菊两开：自从离开成都已过了两个秋天，故云“两开”。他日：往日，指多年来的艰苦岁月。

⑦一系：永系。

⑧催刀尺：指赶制冬衣。

⑨白帝城：即今四川奉节城，在瞿塘峡上口北岸的山上，与夔门隔岸相对，为三国时刘备托孤的地方。急暮砧：黄昏时急促的捣衣声。砧，捣衣石。

【译文】

秋天到来，枫树在深秋严霜中凋零，巫山和巫峡笼罩在一片萧瑟阴森之中，巫峡中的江水波浪滔天。乌云沉沉，像是要压到地面一样，天地一片阴沉。菊花两度绽放，自己依然漂泊在外，触景生情，让人落泪。系在岸边的孤独的小船，长系着我怀念故园的心。天气渐冷了，处处都在赶制冬天御寒的衣服，白帝城上捣衣裳的砧声一阵紧似一阵。孤寂的我对故乡的思念也愈加浓重。

秋兴 其三[①]

杜甫

千家山郭静朝晖，日日江楼坐翠微[②]。
信宿渔人还泛泛[③]，清秋燕子故飞飞。
匡衡抗疏功名薄[④]，刘向传经心事违[⑤]。
同学少年多不贱，五陵裘马自轻肥[⑥]。

【注释】

①诗歌写清晨中的夔州虽然秋高气爽，江色明丽，但面对此景，诗人心中并不宁静。他回顾往昔，慨叹境遇的困顿。

②翠微：青绿的山色。

③信宿：再宿，连宿两夜。

④匡衡抗疏：汉元帝时匡衡多次上书，议论朝政，后来升任光禄大夫，太子太傅。诗人感叹自己任左拾遗时上书被贬官的事。

⑤刘向：字子政，汉代经学家。汉宣帝时，刘向奉命在石渠阁讲授五经（《诗经》《尚书》《礼》《易》《春秋》）。这里诗人以刘向自比，感叹自己虽有传经授经，为国效力的愿望，却事与愿违，被皇帝疏远。

⑥五陵：位于长安的五个汉王陵墓，唐朝的时候是贵族聚居的地方，比喻富豪或官宦家。轻肥：即轻裘肥马，代指豪富贵族的生活。《论语·雍也》："赤之适齐也，乘肥马，衣轻裘。"

【译文】

白帝城中，千家万户静静地沉浸在秋日早晨的阳光里，我每天都到江边的楼上，独自静坐着，看对面青翠色的山峰。连续两个晚上在船上过夜的渔夫，依然悠闲地划着小船在江中漂流。此时已是清冷的秋季，却还能看到燕子展翅掠过空中。汉朝的匡衡向皇帝直言进谏，献上治国的谋略，我很想像他那样却仕途受阻。我也想像刘向奉命传授经学那样为国家效力，可是上天偏偏不遂人愿。年少时一起求学的同学们大都已身居高位，他们居住在长安附近的五陵一带，享受着十分富贵的生活。

秋兴 其五[①]

杜甫

蓬莱宫阙对南山[②]，承露金茎霄汉间[③]。
西望瑶池降王母[④]，东来紫气满函关[⑤]。
云移雉尾开宫扇[⑥]，日绕龙鳞识圣颜[⑦]。
一卧沧江惊岁晚[⑧]，几回青琐点朝班[⑨]。

【注释】

①诗人通过回忆当年自己在朝中参加早朝的盛况，与眼前的漂泊岁月相对比，一切的美好追忆只能增添如今的烦恼。

②蓬莱宫阙：指大明宫。蓬莱，汉宫名。南山：指终南山，在长安南五十里，秦岭主峰之一。古人又称秦岭山脉为终南山。秦岭绵延八百余里，是渭水和汉水的分水岭。

③承露金茎：指仙人承露盘下面的铜柱。汉武帝好神仙之道，认为服用甘露可以长生，于是在建章宫建仙人承露盘承接甘露。这里是以汉喻唐。霄汉间：高入云霄，形容承露金茎非常高。

④瑶池：神话传说中西王母的住地，在昆仑山。

⑤东来紫气：典出老子自洛阳出函谷关的故事。《列仙传》记载，老子西游至函谷关，关尹喜登楼而望，见东面有紫气西来，感到有圣人要过函谷关，后来果然看见老子乘青牛车经过。函关：即函谷关。这两句借用典故写出长安城宫殿的气象恢宏。

⑥云移：指宫扇像云彩般分开。雉尾：指雉尾扇，用野鸡的尾翎编成，是帝王仪仗的一种。

⑦日绕龙鳞：形容皇帝衣服上所绣的龙纹闪闪夺目，像日光缭绕一般。圣颜：天子的容貌。

⑧一卧沧江：指卧病夔州。一，自从。沧江，长江。岁晚：岁末，暗指伤感年华老去。

⑨青琐：汉未央宫门名，青色的门上镂刻着连环花纹，后来借指宫门。点朝班：指上朝时，殿上依次点名传呼文武百官朝见天子。

【译文】

蓬莱宫正对着连绵起伏的终南山，承露盘下面的铜柱高高立着，仿佛耸入云间。西望瑶池，让人怀疑是西王母来到了凡间，祥瑞紫气从东面而来，笼罩了函谷关。皇上临朝，雉尾羽扇慢慢分左右移到两边，皇上穿的绣有龙纹的衣服，在阳光的照射下闪闪发光，我有幸看见了圣上的龙颜。自从我卧病在这里，一觉醒来后，惊觉已经是凄冷的岁末，自己也已进入暮年。几次回想到皇宫的宏大，追忆自己在朝中经过的短暂岁月，忍不住发出今昔对比的慨叹。

秋兴　其七①

杜甫

昆明池水汉时功②，武帝旌旗在眼中③。
织女机丝虚夜月④，石鲸鳞甲动秋风⑤。
波飘菰米沉云黑⑥，露冷莲房坠粉红⑦。
关塞极天惟鸟道⑧，江湖满地一渔翁⑨。

【注释】

①这首诗写长安城昆明池的盛衰变化，以表达自己漂泊江湖，孤寂与忧国之情。

②昆明池：遗址在今西安市西南斗门镇一带，汉武帝所建。《汉书·武帝纪》载，元狩三年（前120）汉武帝在长安仿昆明滇池而凿昆明池，以习水战。

③武帝：汉武帝，亦代指唐玄宗。

④织女：指汉代昆明池有牛郎、织女的石像。机丝：织机及机上之丝。虚夜月：空对着明月。

⑤石鲸：指昆明池中的石刻鲸鱼。

⑥菰（gū）：即茭白，一种长于浅水中的草本植物，叶子像芦苇，根茎可以吃。秋天结果，皮褐色，形状像米，所以叫菰米。

⑦莲房：即莲蓬。坠粉红：指秋季莲蓬成熟，粉红色的花瓣坠落了。

⑧关塞：此指夔州山川。极天：极高。惟鸟道：形容道路高峻险要，只有飞鸟可通过。

⑨江湖满地：指漂泊江湖，没有归宿。渔翁：诗人自比。

【译文】

昆明池开凿于汉代，汉武帝的旌旗仿佛还在眼前浮现。池里有织女的石像，她却不能趁月色纺织，石刻的鲸鱼鳞甲逼真，造型十分生动，好像要在秋风中摆动。江面上漂浮的菰米黑压压一片，像乌云一样浓密。白露已经到了，粉红的莲花片片飘零，露出了莲蓬。险要的关塞高入云天，险峻狭窄的山路，只有鸟儿可以通过。我独自漂泊于无穷无尽的江湖上，没有一处安身之地。

月夜舟中①

戴复古

满船明月浸虚空②，绿水无痕夜气冲。
诗思浮沉樯影里③，梦魂摇曳橹声中。
星辰冷落碧潭水，鸿雁悲鸣红蓼风④。
数点渔灯依古岸，断桥垂露滴梧桐。

【注释】

①诗题一作《月中泛舟》，描写在月色笼罩的西湖泛舟时看到冷清的秋景，表达了孤寂凄凉的心情。

②浸虚空：月色笼罩着夜空。浸，笼罩。虚空，天空。

③樯影：帆影。

④红蓼（liǎo）风：红蓼花开时的风，此处指秋风。蓼，一种生长于水边的植物，开红色或白色小花。

【译文】

秋夜，月光洒满小船，船儿在水上轻轻摆动，好像沉浸于空中一样。清澈的江水中散发着一股秋夜的寒气。我写诗的兴致在帆影中沉浮，梦魂在橹声里飘荡。点点星光映照在碧潭水中，秋风吹动红蓼的声响伴随着鸿雁的鸣叫声。远处靠近岸边的地方，几点渔火闪耀着，梧桐叶上落下来的露珠滴在了断桥上。

长安秋望①

赵嘏

云物凄凉拂曙流②，汉家宫阙动高秋③。
残星几点雁横塞④，长笛一声人倚楼。
紫艳半开篱菊静⑤，红衣落尽渚莲愁⑥。
鲈鱼正美不归去⑦，空戴南冠学楚囚⑧。

【注释】

①诗作于赵嘏科举未中，在长安滞留期间。通过描写长安清早的秋景，抒发出心中的怅然，以及对家乡的思念和对田园生活的向往。

②云物：云雾。凄凉：指入秋后的微寒，有萧索之意。拂曙：拂晓。流：指移动。

③汉家宫阙：这里指唐朝的宫殿。动高秋：形容高耸的宫殿好像触动高高的秋空。

④残星：天快亮时的星星。雁横塞：深秋时节，长空有来自北方的大雁飞越关塞。横：渡过。

⑤紫艳：艳丽的紫色，形容菊花的色泽。篱：篱笆。

⑥红衣：指红色莲花的花瓣。渚：水中的小块陆地。

⑦鲈鱼正美：西晋时的张翰，家在吴地（今江苏苏州），齐王司马冏（jiǒng，古同“炯”，明亮有神）执政时，任他为大司马东曹掾。张翰看出司马冏将来必然败亡，又见秋风起，思念起故乡鲈鱼的美味，便弃官回家。不久，司马冏果然被杀。

⑧南冠：囚犯，用楚国钟仪曾囚于晋国的典故，来表明自己身不由己，不能回乡的处境。

【译文】

秋日的拂晓，曙光微亮，横在天中的云雾灰蒙蒙一片，阵阵寒意袭来。宫殿周围的草木都已呈现出深秋的景色。天上点缀着稀疏的晨星，边塞上空，一队南迁的雁阵展翅飞过。我站在楼上眺望，忽然听到笛声传来，引起无限乡愁。篱笆旁边紫色的菊花半开着，艳丽而宁静，池塘中的莲花已凋谢，落尽了花瓣，露出了黄绿色的莲蓬。深秋时节，家乡鲈鱼正新鲜美味，可我却不能回去，不如早点回乡吧，又何苦像钟仪那样做难以回乡的囚犯呢？

新秋①

杜甫

火云犹未敛奇峰②，欹枕初惊一叶风③。
几处园林萧瑟里，谁家砧杵寂寥中④。
蝉声断续悲残月，萤焰高低照暮空⑤。
赋就金门期再献⑥，夜深搔首叹飞蓬⑦。

【注释】

①诗作于唐肃宗上元二年（761），这一年的八月杜甫住在成都西郊的草堂。诗中借景抒情，通过写秋景来抒发诗人年华易老，身世飘零，功业难成的苦闷心情。

②火云：彩云，一种说法为火烧云。

③欹（qī）：斜靠着。一叶风：指秋风，传说立秋的时候，梧桐就要落下一片叶子。

④杵（chǔ）：捣衣棒。

⑤萤焰：萤火。

⑥金门：汉代宫门，又叫金马门。汉武帝爱良马，得到大宛马后命人铸铜

像，立在鲁班门外，所以被称为金马门。汉时征召来有才能的人，都会在金马门等待君王的召见。所以这里的意思是说想献计献策于皇帝，以求建功立业。

⑦搔首：用手抓头。飞蓬：指已枯干的蓬草根断后在秋风中飞转，比喻自己漂泊无依。

【译文】

夏日傍晚，天空的红云变幻着的峥嵘奇峰，久久不曾散尽。我靠在枕头上，惊觉一阵带着凉意的秋风。秋寒里，无数园林都处于萧瑟之中，寂寥中又传来捣衣的声音。夜色降临，已感到天气渐凉的蝉在残月迷蒙的夜色中发出悲鸣，萤火虫在暮色中闪动。我功名未能成就，心里有许多苦闷。我早已写好给皇帝献计献策的文章，一直盼望着能有机会进献。眼看夏去秋来，难免有时不我待之感。在深夜里感叹年华飞逝，飘零无着。

中秋①

李朴

皓魄当空宝镜升②，云间仙籁寂无声。
平分秋色一轮满，长伴云衢千里明③。
狡兔空从弦外落④，妖蟆休向眼前生⑤。
灵槎拟约同携手⑥，更待银河彻底清⑦。

【作者简介】

李朴（1063—1127），字先之，宋朝兴国（今江西兴国）人。除擅长作诗外，李朴父子兄弟一门出了七位进士，而且都以理学诗文见长。

【注释】

①诗中描写了中秋夜色，通过神话传说，表现出以天下为己任的决心。

②皓魄：指月亮。魄，月亮刚刚出现或将灭时的微光。

③云衢（qú）：云海中月亮运行的轨迹。衢，四通八达的大道。

④狡兔：传说月中捣药的白兔。

⑤妖蟆：传说中月中的蟾蜍，能够吃月，使月亮出现圆缺的变化。

⑥灵槎（chá）：指仙槎。槎，木筏。传说海与天河相通，汉代时有人乘筏在天河中见到了牛郎与织女。拟约：打算进行邀请。

⑦更待银河彻底清：表达自己渴望政治清明。

【译文】

一轮明月缓缓升上天空，云端里的仙乐寂静无声，清风微微吹拂，这一轮圆月可以和金风玉露的秋景媲美，它高悬天空中照亮了千家万户。明亮的月中有兔和蟾蜍，衬托出秋月之圆满明净。我想要乘船筏与明月一起共渡银河，直到银河彻底干涸，海枯石烂。我想邀明月乘上灵槎，待银河彻底澄澈以后，一起遨游太空。

九日蓝田会饮[①]

杜甫

老去悲秋强自宽[②]，兴来今日尽君欢。
羞将短发还吹帽[③]，笑倩旁人为正冠[④]。
蓝水远从千涧落[⑤]，玉山高并两峰寒[⑥]。
明年此会知谁健，醉把茱萸仔细看[⑦]。

【注释】

①诗题一作《九日蓝田崔氏庄》，约作于乾元元年（758）的重阳节。杜甫被贬为华州司功参军，受朋友邀请，在崔氏庄饮酒时所作。蓝田：即陕西蓝田。九日：即重阳节。

②强：勉强。

③羞将短发：因为头发短而不好意思。吹帽：《晋书·孟嘉传》中说，东晋时，大将桓温在重阳节这天宴请同僚，席间，参军孟嘉的帽子被风吹落，自己浑然不知。桓温命孙盛写文章嘲笑孟嘉，而孟嘉神情自若，从容淡定，一时传为美谈。

④倩：请人代替自己做。

⑤蓝水：蓝溪，在蓝田山下。

⑥玉山：蓝田山。

⑦茱萸：草名。古时重阳节都要饮茱萸酒。

【译文】

已进入暮年的我，面对秋景心底生出阵阵悲伤，但还是勉强自我安慰。令人高兴的是，今天重阳佳节，和朋友畅饮美酒，心情欢乐。怕秋风吹掉我的帽子，露出我短短的头发，使我尴尬，于是请一旁的人帮我把它再正一正。蓝水由千百条山间的溪水汇聚而成，从高高的蓝山落下，蓝山两座山峰巍峨冷峻。我用迷蒙的醉眼看着象征辟邪驱灾、吉祥长寿的茱萸，不禁在心中问道：等到明年，今天畅饮的朋友们还有机会再次欢聚吗？

秋思①

陆游

利欲驱人万火牛②，江湖浪迹一沙鸥③。
日长似岁闲方觉，事大如天醉亦休④。
砧杵敲残深巷月，梧桐摇落故园秋。
欲舒老眼无高处，安得元龙百尺楼⑤。

【注释】

①本诗借景抒情，以沙鸥自比，表达出自己不愿受利欲驱使，又不甘心长久闲适的生活，想要报国却没有出路的慨叹。

②欲：欲望。驱：赶逐。火牛：在牛的双角上绑上利刃，尾巴上绑上易燃物，让受惊的牛冲向敌军，春秋时齐国将领田单破燕军时最早使用了火牛。

③浪迹：到处漫游，行踪不定。

④休：此处作“忘了”解。

⑤元龙：陈元龙，即陈登，三国时人，素有扶世救民的志向。

【译文】

利欲驱赶世上的人东奔西走，如同万头火牛向前狂奔一样。与其疲于奔命，倒不如做个闲适的人，自由自在，像沙鸥鸟那样无拘无束。没有事情可做的时候感到度日如年，即使是天大的事，醉了以后也就忘却了。月色渐渐西沉，深巷月光下，捣衣的砧杵声不停，井边的梧桐树在风中飘下落叶，令我想起故乡也是秋天了。我想要向远处眺望，可是又找不到可以登高之处，哪能像三国时的陈登一样，站在高耸入云的百尺楼上，豪放地高论天下大事呢？

与朱山人①

杜甫

锦里先生乌角巾②，园收芋栗未全贫③。
惯看宾客儿童喜，得食阶除鸟雀驯④。
秋水才深四五尺，野航恰受两三人⑤。
白沙翠竹江村暮，相送柴门月色新。

【注释】

①诗题一作《南邻》，大约作于唐肃宗上元三年（762），杜甫在成都过了一段比较安定的生活，在作者居住的草堂不远处，有位锦里先生（朱山人朱希真），杜甫称之为“南邻”。月夜，朱山人送作者离开，杜甫写了这首诗。

②锦里：指锦江附近的地方。乌角巾：黑色的方巾。

③芋栗：芋头和板栗。

④阶除：指台阶和门前的庭院。

⑤航：小船。

【译文】

锦江附近住着一位头戴黑色方巾的先生，他的园子里，每年都能收获许多的芋头和板栗，家境不算贫苦。他的家里常有朋友来做客，孩子们都习惯了，总是喜笑颜开，已被驯服的鸟雀也常常飞到庭院和台阶上觅食。秋天，锦江里的水不过四五尺深，所以小船只能容下两三个人。天色渐渐暗了下来，江边洁净的白色沙滩，深翠色的竹林都笼罩在夜色之中，锦里先生把我送出柴门，此时一轮温润皎洁的圆月刚刚从东方升起。

闻笛

赵嘏

谁家吹笛画楼中①，断续声随断续风。
响遏行云横碧落②，清和冷月到帘栊③。
兴来三弄有桓子④，赋就一篇怀马融⑤。
曲罢不知人在否，余音嘹亮尚飘空⑥。

【注释】

①画楼：雕梁画栋的楼阁。

②遏（è）：止住。碧落：天空。

③清：清越。形容笛声清悠高扬。帘栊（lóng）：挂着帘子的窗户。

④三弄：指《梅花三弄》。桓（huán）子：晋朝的桓伊。

⑤马融：汉朝人。有《笛赋》一篇。

⑥尚：还。

【译文】

谁在画楼上吹着笛子，悠扬清脆的笛声随着风儿断断续续地传到我的耳中。吹得响时，好像响彻云霄，阻挡了空中的流云，吹得舒缓时，又像带着清冷柔和的月色传到了窗前。兴起时吹一曲《梅花三弄》，美妙可与晋时的桓伊相比，作一篇《笛赋》让我怀想起汉朝博学多才的马融。曲子结束了，不知吹笛的人还在不在画楼上，只觉得余音绕梁依然没有消散。

冬景[1]

刘克庄

晴窗早觉爱朝曦[2]，竹外秋声渐作威。
命仆安排新暖阁，呼童熨贴旧寒衣[3]。
叶浮嫩绿酒初熟[4]，橙切香黄蟹正肥[5]。
蓉菊满园皆可羡[6]，赏心从此莫相违[7]。

【注释】

①诗题一作《晚秋》，这首诗描绘了冬天快要来时，诗人愉快的初冬生活，透露出诗人珍惜现在美好时光、达观自适的心情。

②觉：睡醒。

③熨贴：把衣服熨平。

④叶浮嫩绿：新酒的酒色像嫩绿的竹叶浮在水面上一样。晏殊在《清平乐》中写道："绿酒初尝人易醉，一枕小窗浓睡。"

⑤橙切香黄：比喻螃蟹正肥美，煮熟以后像刚切开的橙子一样鲜黄美味。

⑥蓉菊：木芙蓉、菊花。可羡：很值得玩赏。

⑦赏心：快乐的心情。

【译文】

晚秋初冬的早晨醒来，温暖的阳光洒满窗外，这样的景色让我十分愉悦，突然听到竹林外，一阵风声骤起，而且越来越猛烈，看来天气转凉了。我于是吩咐仆人在阁楼里安置取暖的火炉，并把去年的棉衣找出来熨平。然后把新酿好的美酒拿出来，只见酒面上浮着像竹叶一样嫩绿的酒沫，新鲜肥美的螃蟹像刚刚切开的橙子一样新鲜美味。秋日里，园子中开满了芙蓉和菊花，阵阵清香随风而来。如此良辰美景让人感到高兴，不要错过欣赏美景，品尝美食的时光。

冬至[①]

杜甫

天时人事日相催，冬至阳生春又来。
刺绣五纹添弱线[②]，吹葭六管动飞灰[③]。
岸容待腊将舒柳，山意冲寒欲放梅。
云物不殊乡国异，教儿且覆掌中杯。

【注释】

①诗题又作《小至》，小至为冬至前一天。诗写冬至前后时令的变化。诗中不仅用刺绣女添线展现白昼延长，还用河边柳树将舒展枝条，山上梅花含苞待放，生动写出寒冷的冬天里孕育着春天的气息，表现出对美好前景的无限憧憬。

②五纹：五色线。《唐杂录》载，冬至后白昼转长，宫中的女工相比以前可以多绣一些线。

③吹葭（jiā）：古代预测节令，将芦苇的内膜烧成灰放在十二乐律的玉管内，再把玉管放在木案上面，到了某个节气，相应律管中的灰就会自动飞散。第六管灰动，对应冬至节。

【译文】

岁月流转，人事更迭，每一天都在发生着巨大的变化，转眼又到一年的冬至。过了冬至白昼转长，天气也会慢慢回暖，不久就会春回大地。因白昼变长，刺绣的女工可以多绣几根五彩丝线。冬至一到，吹管的六律已飞动葭灰。河岸在等待寒冷的冬季早点过去，好让河边的柳树舒展开枝条，抽出嫩芽，山也要冲破寒气，让梅花傲然绽放。我看到眼前的景物，想起了我的故乡，那里也应是相当的景象。怀着对春天的憧憬，我让小儿把酒斟满，一饮而尽。

山园小梅[①]

林逋

众芳摇落独暄妍[②]，占尽风情向小园。
疏影横斜水清浅[③]，暗香浮动月黄昏[④]。
霜禽欲下先偷眼[⑤]，粉蝶如知合断魂[⑥]。
幸有微吟可相狎[⑦]，不须檀板共金樽[⑧]。

【作者简介】

林逋（967—1028），字君复，又称和靖先生，浙江奉化黄贤村人（一说杭州钱塘）。北宋著名词人。生于儒学世家，幼时刻苦好学，通晓经史百家。性孤高自好，喜恬淡。长大后，曾漫游江淮间，四十岁以后隐居杭州西湖，结庐孤山。常驾小舟遍游西湖诸寺庙，与高僧诗友相往还。每逢客至，叫门童子纵鹤放飞，林逋见鹤必棹舟归来。作诗随就随弃，从不留存。据传林逋终生未娶，以种梅养鹤为乐，称“梅妻鹤子”。死后宋仁宗赐谥“和靖先生”。

【注释】

①诗题又作《梅花》，是两首咏梅组诗中的第一首。这首诗历来为读者称赞。颔联两句历来被读者誉为咏梅的绝唱。自林逋的《山园小梅》之后，咏梅之风在文人中迅速兴起。因此，宋代诗人王淇在《梅》中写道“只因误识林和靖，惹得诗人说到今”。

②众芳：百花。摇落：被风吹落。暄妍：明媚美丽。

③疏影横斜：梅花疏疏落落，斜横的枝干在水中投下的影子。

④暗香浮动：梅花散发的清幽香味在飘动。

⑤霜禽：冬天的鸟。一说指“白鹤”。

⑥合：应该。

⑦微吟：低声吟唱。

⑧檀板：演唱时用的檀木拍板，这里指歌唱。金樽：豪华的酒杯，此处指饮酒。

【译文】

寒冷的天气里，花木纷纷凋零，梅花傲然绽放，明媚艳丽，鲜艳夺目的景色把小园的风光占尽。稀疏的影儿横斜在清澈的水中，幽雅的清香在黄昏柔和的月光下飘动。鸟儿想飞落时，先要偷偷看一看；如果蝴蝶知道梅花的脱俗美艳，一定会为它失魂落魄。非常有幸且可喜的是，我能低声吟诵，和梅花在一起相守、亲近。用不着像俗人那样，敲着檀木拍板奏乐歌唱，举着金杯饮酒来欣赏梅花。

左迁至蓝关示侄孙湘①

韩愈

一封朝奏九重天②，夕贬潮阳路八千③。
本为圣明除弊政④，敢将衰朽惜残年⑤。
云横秦岭家何在⑥，雪拥蓝关马不前⑦。
知汝远来应有意⑧，好收吾骨瘴江边⑨。

【注释】

①诗题一作《自咏》。唐宪宗元和十四年（819）正月，唐宪宗命宦官从凤翔府法门寺把释迦文佛的一节指骨迎入宫廷供奉，并送往各大寺庙，让官民敬香礼拜，礼佛活动十分隆重。时任刑部侍郎的韩愈看到这种行为，便写了一篇《论佛骨表》劝谏唐宪宗，指出大兴佛事对国家无益。结果宪宗大怒，贬韩愈为潮州刺史，责令即日上路。韩愈大半生仕途蹉跎，又遭受这次磨难，内心十分愤慨和悲伤。潮州距离当时的长安有千里之遥，韩愈孤身一人仓促上路，走到蓝田关口时，他的家小还没有赶上，只有他的侄孙跟了上来，他有感而发写下这首诗。左迁：降职，贬官。蓝关：在陕西蓝田县南。湘：韩愈的侄孙韩湘，赶来跟随韩愈南迁。

②一封：指一封奏章，即《论佛骨表》。朝（zhāo）奏：早晨送呈奏章。九

重（chóng）天：古称天有九层，第九层最高，指朝廷、皇帝。

③潮阳：今广东潮州潮安区。路八千：泛指路途遥远。

④圣明：指皇帝。弊政：政治上的弊端，指迎佛骨事。

⑤敢：岂肯。衰朽：衰弱多病。惜残年：顾惜晚年的生命。

⑥秦岭：在蓝田县内东南。

⑦拥：阻塞。

⑧汝：你，指韩湘。应有意：应知道我此去凶多吉少。

⑨瘴江：指岭南瘴气弥漫的江流。瘴江边：指贬所潮州。

【译文】

早晨刚刚呈上一封谏书，晚上就被贬官到千里之外的潮阳去。想替皇上革除有害的事，哪能因衰老就吝惜自己的残生。浓密的乌云横在秦岭的上空，我的家又在哪里呀？厚厚的积雪拥塞着蓝田关，连马都停下来不肯前进。知道你远道追随而来心中一定会有所打算，是为了在瘴气笼罩的江边收殓我的尸骨。

干戈[1]

王中

干戈未定欲何之，一事无成两鬓丝。
踪迹大纲王粲传[2]，情怀小样杜陵诗[3]。
鹡鸰音断人千里[4]，乌鹊巢寒月一枝[5]。
安得中山千日酒[6]，酩然直到太平时[7]。

【作者简介】

王中，字积翁，南宋诗人，生平不详。

【注释】

①干戈：古代的两种兵器，泛指战争。作者生活在宋末乱世，对自己的功业难成十分感慨。他苦叹自己四处流亡，兄弟离散，处境艰难。表达了前路茫茫、生不逢时的愤慨。

②王粲（177—217）：字仲宣，东汉末年人，“建安七子”之一，生逢乱世，一生颠沛流离，未受重用。

③小样：略似。杜陵：杜甫，杜甫自称杜陵野老、少陵野老，后人称之为杜陵、杜少陵。

④鹡鸰（jí líng）：一种鸟，又名脊令。《诗经·小雅·棠棣》中说“脊令在原，兄弟急难。”后人用这种鸟比喻兄弟。

⑤乌鹊：曹操《短歌行》中说：“月明星稀，乌鹊南飞，绕树三匝，何枝可依？”此处化用，暗指自己的漂泊。

⑥中山千日酒：中山国是春秋制酒名国，传说中山人狄希能造千日酒，饮后醉上千日。

⑦酩（mǐng）然：大醉。

【译文】

身处战乱，我的家在哪里呢？漂泊多年，却没有建立任何功业，已愁白两鬓的头发，才能依然得不到施展。我的遭遇大致和王粲一样，我的情怀也像杜甫诗中所说的一样忧国忧民。我和兄弟相隔千里，音信断绝，就像乌鹊在月夜下的枝头独栖。我愿得到中山国制作的千日美酒，一觉睡到天下太平时再醒来！

归隐①

陈抟

十年踪迹走红尘②，回首青山入梦频。
紫绶纵荣争及睡③，朱门虽富不如贫④。
愁闻剑戟扶危主，闷听笙歌聒醉人⑤。
携取旧书归旧隐，野花啼鸟一般春。

【作者简介】

陈抟（tuán），字图南，亳州真源（今属安徽）人。北宋著名隐士。

【注释】

①相传诗人在后唐兴中年间应进士举未中，于是归隐，写作此诗。

②红尘：人世间。

③紫绶：系印的紫色绶带，这里代指高官厚禄。纵荣：纵然荣耀。争及：怎么能及。

④朱门：古时王侯权贵家的大门常漆成红色，所以用朱门代指豪门富贵之家。

⑤聒（guō）：吵闹。

【译文】

在这世间奔波劳碌了十余年，回首往事，慨叹良多，常常在梦中进入山中隐居。高官厚禄虽然让人羡慕，怎么比得上安享闲适舒服，王公贵族虽富有，但不如穷人自在。一听到将士勤王救主我就感到忧愁，一听到喧闹的乐声我就感到沉闷。不如带上诗书到华山隐居，在那里悠闲地在春光中观赏野花，听鸟儿鸣叫。

时世行①

杜荀鹤

夫因兵死守蓬茅②，麻苎衣衫鬓发焦③。
桑柘废来犹纳税④，田园荒尽尚征苗。
时挑野菜和根煮⑤，旋斫生柴带叶烧⑥。
任是深山更深处，也应无计避征徭⑦。

【作者简介】

杜荀鹤（846—904），字彦之，号九华山人，池州石埭（今安徽石台）人。唐代诗人。官至翰林学士知制诰，以诗闻名，自成一家，尤长于宫词。

【注释】

①诗题又作《山中寡妇》或《时世行赠田妇》。描写一位深山中的寡妇饱

受战乱与徭役之苦，反映了唐末民不聊生的社会现实。

②蓬茅：茅草盖的房子。

③麻苎（zhù）：即苎麻。鬓发焦：因吃不饱，身体虚弱而头发变成枯黄色。

④柘：树木名，叶子可以喂蚕。

⑤和：带着，连。

⑥旋斫（zhuó）：现砍。斫，砍。生柴：刚从树上砍下来的湿柴。

⑦征徭：赋税、徭役。

【译文】

丈夫因战乱而死，丢下妻子困守着茅草屋，身上穿着粗糙的麻衣，头发枯黄，面黄肌瘦。桑树柘树都已经荒废，再也没办法养蚕了，可是官府依然催逼着缴纳丝税。田园荒芜了，也仍旧要征收田捐。经常到野外寻找一些野菜，连根一起煮着吃，从山上刚砍下的湿柴带着叶子一起生火。这样的日子不堪重负，就算你逃到人迹罕至的深山里，也没有办法躲避赋税和徭役。

送天师①

朱权

霜落芝城柳影疏②，殷勤送客出鄱湖③。
黄金甲锁雷霆印④，红锦韬缠日月符⑤。
天上晓行骑只鹤⑥，人间夜宿解双凫⑦。
匆匆归到神仙府⑧，为问蟠桃熟也无⑨。

【作者简介】

朱权（1378—1448），朱元璋第十七子，号涵虚子、丹丘先生，自号南极遐龄老人、大明奇士，去世后谥号为献，称宁献王。明代道教学者、戏曲理论家、剧作家。自幼体貌魁伟，聪明好学，人称“贤王奇士”。

【注释】

①天师：对道士的尊称，此处指张正常。张正常，字仲纪，元时赐天师，朱元璋攻下南昌后，他派人去拜贺。后来朱元璋建立明朝，授正一嗣教真人，并赐银印。诗人十分推崇道教，诗中描写天师府印及其佩饰，运用神话传说盛赞天师的尊贵与法力无边。

②芝城：江西鄱阳，因芝山在城北，所以得名。

③鄱湖：鄱阳湖。

④黄金甲：用来装印的精美外套。雷霆印：形容印的威力巨大。

⑤红锦韬：装符表的红色丝套。日月符：能驱动日月的符书。

⑥鹤：传说中仙人的坐骑。

⑦双凫：典出《后汉书·王乔传》，东汉明帝时王乔为叶县令，他虽然远离京城，却能按时来朝，原来他会仙术。人们看到每次他来必然有一对凫从东南飞来，后来有人用网捕到一只，才知晓那只是一只木鞋。

⑧神仙府：张正常的住所。

⑨蟠桃：神话中的仙桃。

【译文】

天气转凉，鄱阳城降下寒霜，怀着难分难舍之情，我把张天师送出鄱阳湖。精美的匣子里装着天师的宝印，红色的锦缎裹着光照日月的符表，早上骑鹤在天上飞，夜晚投宿人间再解下那双化为双凫的鞋子。天师想早点赶回神仙府去，是为了看那里的仙桃熟了没有。

送毛伯温①

朱厚熜

大将南征胆气豪②，腰横秋水雁翎刀③。
风吹鼍鼓山河动④，电闪旌旗日月高⑤。
天上麒麟原有种⑥，穴中蝼蚁岂能逃⑦。
太平待诏归来日⑧，朕与先生解战袍⑨。

【作者简介】

朱厚熜（1507—1566），明宪宗之孙，明武宗的堂弟。明武宗无子，他死后，十四岁的朱厚熜进京即位，年号嘉靖。嘉靖皇帝在位四十五年，早期曾斩杀权贵，还田于民，但到晚期，迷信道教，二十余年不理朝政，一心只求长生不老，致使国家危机四伏，边患迭起。卒葬永陵（位于北京昌平），庙号世宗。

【注释】

①这首诗作于嘉靖十八年（1539）毛伯温出征之前。安南（今越南）发生叛变，毛伯温奉命征讨安南。诗中描绘他的英雄气概，王师的声威浩大，表现出必胜的信心与期望。毛伯温（1487—1544）：字汝厉，吉水（今属江西）人，明武宗正德年间进士。在这次讨伐安南之乱中，他出征一年多，兵不血刃，平定安南，因功被加封太子太保。

②大将：指毛伯温。

③横：横挎。秋水：形容刀剑明亮闪耀，如秋水一般。雁翎刀：形状如大雁羽毛的刀。

④鼍（tuó）鼓：用鳄鱼皮做成的战鼓。

⑤旌旗：指挥作战的军旗。

⑥麒麟：传说中的神兽，这里用来称赞毛伯温的才干十分杰出。

⑦蝼蚁：蝼蛄和蚂蚁，这里用来比喻安南叛军不堪一击。

⑧诏：皇帝的诏令。

⑨朕：皇帝自称。先生：指毛伯温。

【译文】

毛将军征讨南方，胆气豪迈雄壮，腰间的宝刀如同秋水般明亮耀眼。风吹着战鼓的擂动声，撼动山河；日月高悬，照耀着猎猎飘动的旌旗。将军的神勇，犹如天上的麒麟，敌人如同洞里的蝼蚁，怎么能逃脱得掉？等到你平定叛乱，班师回朝的时候，我亲自为你脱去征袍，为你接风庆功。

五言绝句

春晓[①]

孟浩然

春眠不觉晓[②]，处处闻啼鸟[③]。
夜来风雨声，花落知多少[④]。

【作者简介】

孟浩然（689—740），襄州襄阳（今湖北襄樊）人，世称“孟襄阳”，因他未曾入仕，又称之为孟山人。诗歌以五言诗为主，多写山水田园等内容，与王维合称为“王孟”。

【注释】

①晓：天刚亮的时候。春晓：春天的早晨。

②不觉晓：不知不觉天就亮了。

③啼鸟：鸟的啼叫声。

④知多少：不知有多少。

【译文】

在春天的夜晚里贪睡，不知不觉天已经破晓，到处都是鸟儿啁啾的鸣叫声。昨天夜里风声雨声一直没断，娇艳的春花不知被吹落了多少。

访袁拾遗不遇[①]

孟浩然

洛阳访才子[②]，江岭作流人[③]。
闻说梅花早[④]，何如此地春。

【注释】

①诗作又名《洛中访袁拾遗不遇》。洛中：指洛阳。袁拾遗：袁瓘（guàn），诗人好友，曾任拾遗。通过写富有才华的朋友被贬南岭，含蓄地讽刺了时政，表达出对好友的同情与关心。

②才子：指袁拾遗。

③江岭：江南岭外之地。岭，这里指位于广东、江西交界的大庾岭。唐代时期的罪人常被流放到岭外。流人：被流放的人，这里指袁拾遗。

④梅花早：梅花早开。

【译文】

我到洛阳来是为了和才子袁拾遗见面，没想到他已被贬谪到荒凉而遥远的江岭。我听说那里的梅花绽放得非常早，可是身处异乡，怎么能比得上洛阳的春天更让人觉得美好呢？

送郭司仓①

王昌龄

映门淮水绿②，留骑主人心③。
明月随良掾④，春潮夜夜深。

【作者简介】

王昌龄，字少伯，京兆万年（今陕西西安）人。盛唐著名边塞诗人，被后人誉为“七绝圣手”。与李白、高适、王维、王之涣、岑参等交厚。安史之乱中在安徽亳州被刺史闾丘所杀。

【注释】

①郭司仓：作者的朋友。司仓，管理仓库的小官。

②淮水：淮河，发源于河南桐柏山，流经安徽、江苏，注入长江。

③留骑（jì）：留客的意思。骑，坐骑。

④良掾：好官，此指郭司仓。掾，古代府、州、县属官的通称。

【译文】

春夜的淮水涟漪激荡，我的朋友郭司仓即将远行，我诚恳地挽留他，但终难如愿，只有让明月照耀他远行了。我的思念就如同这眼前的淮水，夜夜碧波翻滚难以平静。

洛阳道[1]

储光羲

大道直如发[2]，春日佳气多[3]。
五陵贵公子，双双鸣玉珂[4]。

【作者简介】

储光羲（约706—763），唐玄宗开元十四年（726）举进士，田园山水诗派代表诗人之一。

【注释】

①本诗是《洛阳道五首献吕四郎中》组诗的第三首，写了京城贵公子春日出游的骄奢，流露出讽刺之情。

②大道：宽阔的大路。此指洛阳城的大路。

③佳气：晴朗的好天气。

④玉珂：佩在马上的玉饰。

【译文】

洛阳的宽广大道，就像头发一样直。在鸟语花香、景色美丽的春天里，更是风光无限。我们常常可以看到一些官宦子弟结伴骑马，一起欣赏洛阳城春天的迷人景色。一路上，佩在马上的玉饰发出的悦耳的玉珂声，不绝于耳。

独坐敬亭山[1]

李白

众鸟高飞尽[2]，孤云独去闲[3]。

相看两不厌[4]，只有敬亭山。

【注释】

①诗作于天宝十二年（753）秋天，李白对政治失望，离开长安，来到了宣城，在这里游览。诗中写与山的默对相望，表达出他想要超脱于现实，达到内心平静的愿望，含蓄地表达了心中的不满。敬亭山：在今安徽宣城市北。

②尽：没有了。

③独去闲：孤单的云彩飘来飘去。独去，独自去。闲，形容云彩飘来飘去，悠闲自在的样子。

④厌：满足。

【译文】

鸟儿们飞得不见了踪迹，天上飘浮的孤云慢慢向远处飘去。只有我静静地看着高高的敬亭山，敬亭山也默默地注视着我，我们彼此看不厌。谁能理解我此时惆怅孤寂的心情，只有这高大的敬亭山了。

登鹳雀楼[1]

王之涣

白日依山尽[2]，黄河入海流。
欲穷千里目[3]，更上一层楼。

【作者简介】

王之涣（688—742），字季陵，以善于描写边塞风光著称。其代表作有《登鹳雀楼》《凉州词》等。

【注释】

①鹳雀楼：旧址在山西永济市，楼高三层，前对中条山，下临黄河。传说常有鹳雀在此停留，故有此名。

②白日：太阳。依：依傍。尽：消失。本句说太阳依傍山峦沉落。

③欲：想要。穷：尽，使达到极点。千里目：眼界宽阔。

【译文】

太阳依偎着青山渐渐西沉，汹涌澎湃的黄河之水向东奔流入大海，如果想看到更远的地方，就要再上更高的一层楼。

观永乐公主入蕃[1]

孙逖

边地莺花少，年来未觉新。
美人天上落，龙塞始应春[2]。

【作者简介】

孙逖（696—761），今山东东昌府区沙镇人。唐代史学家。

【注释】

①永乐公主：开元五年（717），唐玄宗封东平王外孙女杨氏为永乐公主，嫁契丹王李失活。孙逖在诗中描绘了永乐公主的美丽，并且表现了当时龙塞荒凉的面貌。入蕃：指嫁到少数民族地区。

②龙塞：边塞龙城，指契丹王居住之地。

【译文】

寒冷的边塞地区没有鲜花盛开，也没有莺歌燕舞，虽然已过了新年，还是感受不到春意。今天，永乐公主嫁到塞外，有如仙女从天而落，她的到来应该使这苦寒之地有美丽的春色了。

春怨

金昌绪

打起黄莺儿，莫教枝上啼[1]。
啼时惊妾梦[2]，不得到辽西[3]。

【作者简介】

金昌绪：生平不详，唐代余杭（钱塘）（今浙江杭州）人。

其诗传于世仅《春怨》一首。

【注释】

①莫：不。

②妾：女子的自称。

③辽西：古郡名，今辽宁辽河以西地方。

【译文】

我敲打树枝，赶走树上的黄莺儿，不许它在树上乱叫。因为它清脆的叫声惊醒了我的梦，害得我不能在梦里赶到辽西，与戍守边关的丈夫相见。

左掖梨花①

丘为

冷艳全欺雪②，余香乍入衣③。
春风且莫定④，吹向玉阶飞⑤。

【作者简介】

丘为（约694—约784），嘉兴人。唐代诗人，与王维是好友。

【注释】

①左掖：指门下省。唐代的门下省和中书省分别设在宫禁（帝后所居之处）左右两侧。掖（yì），旁边。

②冷艳：形容梨花洁白如雪，冰冷艳丽。欺：胜过。

③乍：突然。入衣：指香气浸透衣服。

④莫定：不要停止。

⑤玉阶：宫殿前光洁似玉的石阶。

【译文】

梨花盛开了，它的清冷艳丽自然胜过白雪，散发出的幽香熏染在衣服上。春风啊，请你继续吹拂它的花瓣，希望这美艳多姿的花瓣能飘到宫殿前的台阶上。

思君恩

令狐楚

小苑莺歌歇[①]，长门蝶舞多[②]。
眼看春又去，翠辇不曾过[③]。

【作者简介】

令狐楚（766—837），字壳士，宜州华原（今属陕西）人，唐代文学家。

【注释】

①小苑：皇宫的林苑。

②长门：长门宫。西汉时，陈皇后失宠贬居之地，后指失宠妃子所居的内宫。

③翠辇：皇帝的车驾。

【译文】

皇宫林苑中，黄莺啼叫的声音已经停息，长门宫前已是到处彩蝶纷飞。大好的春光眼看就要逝去，而皇帝的车驾却从没来过。

题袁氏别业

贺知章

主人不相识，偶坐为林泉。
莫谩愁沽酒[①]，囊中自有钱[②]。

【作者简介】

贺知章（659—744），字季真，号四明狂客，会稽永兴（今浙江萧山）人。唐代文学家。诗作风格独特，清新潇洒，代表作有《咏柳》。

【注释】

①谩（màn）：通“慢”，怠慢。沽（gū）：买。

②囊：袋。

【译文】

我本来和这里的主人并不认识，偶然造访是因为贪赏这里郁郁葱葱的林木与清澈的泉水。你莫担心要去向谁赊酒，只管开怀畅饮，我口袋里还有些钱。

夜送赵纵[①]

杨炯

赵氏连城璧[②]，由来天下传。
送君还旧府[③]，明月满前川。

【作者简介】

杨炯（650—692），华阴（今属陕西）人。与王勃、卢照邻、骆宾王齐名，“初唐四杰”之一。

【注释】

①此诗是一首送别诗，写杨炯夜间送赵纵返回故乡。赵纵：杨炯友人，赵州人。

②赵氏连城璧：战国时，赵国得到一块叫作和氏璧的美玉，秦王得知后，要用十五座城池交换这块宝玉，故称连城璧。此处用赵氏喻指赵纵，连城璧喻指其才华。

③旧府：赵国的故地，指赵纵的家乡山西。

【译文】

赵国的和氏璧价值连城，自古以来天下交相称颂。今晚上我送你回赵州故乡，只见空中明净的月光如水洒满前川。

竹里馆[1]

王维

独坐幽篁里[2]，弹琴复长啸[3]。
深林人不知[4]，明月来相照[5]。

【注释】

①竹里馆：辋川别墅胜景之一，房屋周围有竹林，故名。

②幽篁（huáng）：幽深的竹林。

③长啸（xiào）：口中发出长且清脆的声响，类似于打口哨。

④深林：指“幽篁”。

⑤相照：与“独坐”相应，意思是说，无人相伴，唯有明月似解人意，偏来相照。

【译文】

我一个人坐在茂密幽静的竹林里，一边弹琴一边吟唱。没有人与我相伴，只有天上的明月把柔和的光静静地洒在我身上。

送朱大入秦[1]

孟浩然

游人五陵去[2]，宝剑值千金[3]。
分手脱相赠[4]，平生一片心。

【注释】

①朱大：孟浩然的朋友。秦：这里指长安。

②游人：游子，此诗指的是朱大。

③值千金：形容剑之名贵。值，价值。

④脱：解下。

【译文】

你就要到长安去了，我这里有一把价值千金的宝剑，在你我分别之际，解下来送给你，以表示我今生对你的友情。

长干行①

崔颢

君家何处住②，妾住在横塘③。
停船暂借问④，或恐是同乡⑤。

【注释】

①长干行：乐府曲名，是长干里一带的民歌，长干里在今江苏南京秦淮河南，古时为送别之地。

②君：古代对男子的尊称。

③妾：古代女子自称的谦辞。横塘：现江苏南京市江宁区。

④暂：暂且、姑且。借问：请问一下。

⑤或恐：也许。

【译文】

请问你的家在哪里呀？我的家就住在金陵的横塘。停下船来借问一声，兴许咱们还是同乡呢。

咏史

高适

尚有绨袍赠，应怜范叔寒①。
不知天下士②，犹作布衣看③。

【作者简介】

高适（约701—762），字达夫，渤海郡（今河北景县）人。唐代著名边塞诗人。

【注释】

①“尚有”两句：绨（tì）袍，粗丝织成的袍子。范叔，指战国时魏国人范雎。魏国派须贾、范雎出使齐国，齐王看重范雎的才华，赐给他金银，而没有给须贾。须贾心中气愤，回国后诬告范雎与齐国串通。范雎被迫害而逃到秦国，改名张禄，被秦王拜为丞相，在他的辅佐下，秦王称霸天下。后来，须贾作为使节来到秦国，范雎身上穿着破衣服拜见须贾。须贾见他很可怜，就送给他一件绨袍。须贾得知范雎成了秦国丞相时，吓得大惊失色，前往谢罪。而范雎念他旧日赠绨袍之事，就放过了他。

②天下士：天下豪杰之士。

③布衣：老百姓。

【译文】

哪怕是须贾这样的小人还会做出赠送绨袍这样的事情来，可见范雎的贫寒是多么惹人同情。现在的人不懂范雎是个治国的贤才，只把他当成凡夫俗子看待。

罢相作

李适之

避贤初罢相①，乐圣且衔杯②。
为问门前客③，今朝几个来④。

【作者简介】

李适之（694—747），唐王朝皇族宗室，恒山王李承乾的孙子。李适之好饮酒，能喝一斗不醉，晚上宴饮，次日照常处理公务。他与贺知章、李琎、崔宗之、苏晋、李白、张旭、焦遂齐名，被时人称为“酒中八仙”。杜甫曾作《饮中八仙歌》，其中赞李适之道：“左相日兴费万钱，饮如长鲸吸百川，衔杯乐圣称避贤。”

【注释】

①避贤：避位让贤，辞去相位给贤者担任。李适之天宝元年任左相，后遭李林甫排挤，失去相位。

②乐圣：古人有以清酒为圣人，以浊酒为贤人的说法。此处指爱好喝酒。且：尚且，还。衔杯：喝酒。

③为（wèi）问：请问，试问。为，此处表假设。

④今朝（zhāo）：今天，现在。

【译文】

我辞去了宰相的职位，让给有才能的贤士。从此后每天举着酒杯在家中开怀畅饮。请问那些过去常来我家做客的人，今天有几个还会来看我呢？

逢侠者①

钱起

燕赵悲歌士②，相逢剧孟家③。
寸心言不尽④，前路日将斜。

【注释】

①这是一首因路遇侠者而写的赠别诗。侠者：豪侠仗义之士。

②燕赵：古时燕国和赵国出了许多勇士，因此后人就用燕赵之士指代侠士。

③剧孟：汉代著名侠士，洛阳人，素有豪侠的名声。

④寸心：心中。

【译文】

古时的赵国与燕国两地多出慷慨悲歌的侠士，今天我和一位狭义之士相逢于剧孟的故乡洛阳。心中感到悲壮不平的事向你诉说不完，无奈太阳西斜，只好分手而去。

江行望匡庐

钱起

咫尺愁风雨[①]，匡庐不可登[②]。
只疑云雾窟[③]，犹有六朝僧。

【注释】

①咫尺：比喻很近。古时称八寸为咫。

②匡庐：庐山。

③云雾窟：云雾缭绕的山洞。

【译文】

风雨使我十分忧愁，因为它们使我不能攀登上近在咫尺的庐山。我一直怀疑在烟雾缭绕、寂静清幽的洞穴之中，依然居住着六朝时期的僧侣。

答李浣

韦应物

林中观易罢[①]，溪上对鸥闲[②]。
楚俗饶词客[③]，何人最往还[④]。

【注释】

①观易：详看《易经》。

②溪上：指溪边。岸边曰上。鸥：鸟名，是一种捕鱼而食的水鸟，脚绿色有蹼，视力锐敏，行动矫捷。

③楚俗：楚地的风俗习气。楚，湖南、湖北两省的通称。饶：多。词客：词人墨客，指擅长写文章的人。

④往还：指朋友间的交往互动情形。

【译文】

我在林子中看过一段《易经》之后，来到溪边悠闲地与鸥鸟相望。自古以来楚地就是文人骚客最多的地方，但是谁跟你最投缘呢？

秋风引

刘禹锡

何处秋风至①，萧萧送雁群②。
朝来入庭树，孤客最先闻③。

【注释】

①至：到。

②萧萧：形容风吹树木的声音。雁群：大雁的群体。

③孤客：孤独的异乡人。闻：听到。

【译文】

不知秋风从何处吹来，在萧萧声中送走了雁阵。破晓之时，秋风吹动庭园的树木，树叶瑟瑟，传入耳中，身在他乡的孤独旅人最先听到了秋风的声音。

秋夜寄丘员外①

韦应物

怀君属秋夜②，散步咏凉天。
山空松子落，幽人应未眠③。

【注释】

①诗人在清凉的秋夜中思念朋友，徘徊吟咏，推想朋友也一定没有安眠，把两地思念连在了一起，情意深厚，让人回味无穷。丘员外：丘丹，诗人丘为的弟弟，曾任仓部员外郎。

②怀君：思念你。属：适，正值。

③幽人：隐士。此时丘丹隐居临平山学道。

【译文】

我在这秋天的夜晚想念你，在萧索的夜色里散步吟咏。空山中不时有松子落下，幽居的人应该也还没有入睡。

秋日

耿沣

返照入闾巷①，忧来谁共语。
古道少人行，秋风动禾黍②。

【作者简介】

耿沣（wéi），字洪源，河东（今属山西）人。唐代诗人。工诗，与钱起、卢纶、司空曙诸人齐名。

【注释】

①返照：夕阳斜照。闾巷：街道。

②禾黍：谷子之类的农作物。此处用了一个典故：相传西周灭亡后，周国的大夫长途跋涉来到西周都城，看到过去的宗庙宫室早已变成长满禾黍的田地，于是心中充满凄凉，感慨之余，作《黍离》诗一首。

【译文】

住在山中，落日的余晖已斜照到巷子口，一天又要过去了，我有满腹的话能向谁诉说呢？这条荒凉僻静的小道，平时很少有人经过，只有那一阵阵清冷的秋风扶过田野中的稻麦。

秋日湖上

薛莹

落日五湖游，烟波处处愁。
浮沉千古事①，谁与问东流。

【作者简介】

薛莹，生平不详，晚唐诗人。诗风充满伤感，所作多表现隐逸生活。著有《洞庭诗集》。

【注释】

①浮沉：指国家的兴亡治乱。

【译文】

太阳收敛余晖之时，我在太湖的游船之上，烟波浩渺，迷茫一片，让人产生了忧愁。千百年来，世事也正像这烟雾笼罩下的波浪一样，在沉浮中渐渐消逝了，有谁会去关心那些繁杂的事情呢？

宫中题[1]

李昂

辇路生秋草[2]，上林花满枝[3]。

凭高何限意[4]，无复侍臣知。

【作者简介】

李昂（809—840），唐文宗，唐朝第十四代皇帝，唐穆宗李恒次子。登基时年仅十八岁，在位十四年，执政期间政治黑暗，是唐朝社会走向没落的转型时期。唐文宗本人也形同傀儡，最后抑郁而死。

【注释】

①诗作于太和九年（835），李昂即位后力图改变宦官专权的现象，与翰林学士李训等人密谋诛杀宦官，事情败露，多位大臣被害，史称“甘露之变”。此后宦官更加疯狂专横，文宗十分苦闷，这首诗就写于这种心境下。

②辇路：皇宫中帝王行车的路。

③上林：汉代宫苑名。

④凭高：登高。

【译文】

秋草已长满宫中的御道，我很少乘车出去游览；上林苑的鲜花开放，我也没有心思去观赏。登高远望，更觉思绪无限，这种苦闷的心情连我身边的人也不知道。

寻隐者不遇[1]

贾岛

松下问童子[2]，言师采药去[3]。
只在此山中，云深不知处[4]。

【注释】

①寻：寻访。隐者：古代指不肯做官而隐居于山野的人。不遇：没有见到。

②童子：小孩。这是指隐者的弟子。

③言：回答，说。

④云深：指山上云雾缭绕。

【译文】

在山间的苍松下，我询问隐者的童子："你的师傅到哪里去了？"他回答说："我的师傅上山采药去了。"他还指着高山说："师傅就在这座山中，可是山林茂密，云雾缭绕，我也不知道他到底在哪儿。"

汾上惊秋[1]

苏颋

北风吹白云，万里渡河汾[2]。
心绪逢摇落[3]，秋声不可闻。

【作者简介】

苏颋（670—727），字廷硕，京兆武功（今陕西武功）人。唐玄宗时宰相善文学。

【注释】

①诗歌借景抒情，表达了悲秋之情及羁旅之思。汾（fén）上：指汾阳县（今属山西）。汾，指汾水，为黄河第二大支流。

②河汾：指汾水流入黄河的一段。

③心绪：此处谓愁绪纷乱。摇落：树叶凋零。

【译文】

白云被北风吹得翻滚涌动，我就要乘船渡过汾河去往远离家乡的地方了。离别的心绪本来就伤感惆怅，又逢上草木凋零的秋季，使我不忍听到那萧瑟的秋风声。

蜀道后期[①]

张说

客心争日月[②]，来往预期程[③]。
秋风不相待[④]，先至洛阳城[⑤]。

【作者简介】

张说（667—730），字道济，一字说之，原籍范阳（今河北涿州），世居河东（今山西永济），后来移到洛阳。唐代文学家，诗人，政治家。

【注释】

①诗歌把秋风人格化了，借抱怨秋风，抒发归心似箭的心情以及误期的烦恼，显得含蓄委婉。蜀：今四川一带。

②客：漂泊异乡故称“客”，此是诗人自称，当时他奉命出使四川未归。争日月：争取时间。

③预期程：原先安排好，定下来的归期。

④待：等待。

⑤洛阳：当时的国都。

【译文】

我到蜀地出使，远离家乡，因为出外客游，做事尽量迅速，像和日月在竞争时间一样。本来出行和回程的时间都是预先安排好的，秋风却不肯等待，独自先到洛阳城去了。

静夜思[①]

李白

床前明月光[②]，疑是地上霜[③]。
举头望明月，低头思故乡。

【注释】

①静夜思：在幽静的夜晚对家乡的思念。

②床：对于这首诗中“床”的解释历来说法不一，主要有三种观点：一是卧具，本意的床；二是通“窗”，指窗子；三是院中的井台或井栏。

③疑：怀疑是。

【译文】

明亮的月光洒在床前，好似地上有一层白霜。我禁不住抬起头来，看那天空中的一轮明月，不由得低头沉思，想起远方的家乡。

秋浦歌[①]

李白

白发三千丈，缘愁似个长[②]。
不知明镜里，何处得秋霜[③]。

【注释】

①《秋浦（pǔ）歌》共十七首，作于天宝三年（744），这是第十五首。李白离开长安漂泊宣州，用夸张的手法表达壮志难酬的苦闷。秋浦：在今安徽贵池区。

②缘：因为。个：这样。

③秋霜：喻白发。

【译文】

我头上的白发有三千丈长，只因心中的愁绪太多。对着明亮的镜子，我的头发白似秋霜，不知道我为什么会变成这副模样？

赠乔侍御[1]

陈子昂

汉廷荣巧宦[2]，云阁薄边功[3]。
可怜骢马使[4]，白首为谁雄。

【作者简介】

陈子昂（661—702），字伯玉，梓州射洪（今属四川）人。唐代文学家，初唐诗文革新人物之一。因曾任右拾遗，后世称为陈拾遗。代表作为《登幽州台歌》。

【注释】

①诗题又名《题祀山烽树赠乔十二侍御》，借古讽今，借汉朝的政治黑暗抒发对当时朝中不重视贤良的不满，以及对乔侍郎的同情。乔侍御：生平不详，作者的朋友。侍御：官名。

②汉庭荣巧宦：汉庭，代指朝廷。荣巧宦，以用投机钻营的手段获取官位为荣。

③云阁：即云台和麒麟阁，是汉代表彰功臣名将的地方。薄：看轻。

④骢（cōng）马使：指东汉时的桓典，任仕御史，为官正直，出外常骑骢马（青白色的马），所以人们称他为骢马使。诗中代指乔侍御。

【译文】

当今的官场中往往以投机取巧钻营获利为荣耀，在边疆建立功勋的人受到了轻视。可怜你既有能力又有政绩，一直拼搏到老又有谁表彰你做出的功绩呢？

答武陵太守①

王昌龄

仗剑行千里，微躯敢一言。
曾为大梁客②，不负信陵恩③。

【注释】

①诗题一作《答武陵田太守》，诗中将田太守比作战国时的魏公子信陵君，将自己比作信陵君门下食客，表达自己的敬意和感恩的心情。

②大梁客：指战国时魏国侠士侯嬴。大梁，今天的河南开封，是魏国的都城。侯嬴原来为看守大梁东门的官吏，受到信陵君赏识，尊为上宾，后来秦国围攻赵国，赵向魏国求救，魏王没有反应，侯嬴为信陵君出谋划策，盗取兵符，使赵国得救。诗人以侯嬴自比，说明自己知恩图报的心愿。

③信陵：信陵君，即魏国公子无忌。这里把田太守比作信陵君。

【译文】

凭着手中的宝剑，我走遍了千山万水。虽然我的身份十分卑微，但还是要冒昧地禀告您：您曾经把我当作大梁客一样，礼遇有加，我也会以侯嬴自比，不辜负您的知遇之恩。

行军九日思长安故园①

岑参

强欲登高去②，无人送酒来。
遥怜故园菊③，应傍战场开④。

【注释】

①九日：指九月九日重阳节。

②强：勉强。登高：重阳节有登高赏菊饮酒以避灾祸的风俗。

③怜：可怜。

④傍：靠近、接近。

千家诗

【译文】

重阳节到了，本来是饮酒登高的快乐时光，可正逢战乱，哪有好的心境。我强打精神登上高处眺望，可身处战乱的行军途中，是不可能有谁给我送酒来的。我怀着忧郁的心情遥望我的故园长安，那菊花大概挨着战场零星开放了。

婕妤怨①

皇甫冉

花枝出建章②，凤管发昭阳③。
借问承恩者④，双蛾几许长⑤。

【作者简介】

皇甫冉（约718—767），字茂政，润州（今镇江）人。唐代著名诗人。其诗清新飘逸，多漂泊之感。

【注释】

①婕妤（jié yú）怨：乐府旧题。婕妤，嫔妃的称号，这里指班婕妤，班固的姑姑，曾得到汉成帝宠幸，赵飞燕姐妹入宫后失宠，自请到长信宫侍奉太后。诗人借用汉代婕妤的哀怨，表达自己怀才不遇的抑郁之情。

②花枝：喻美丽的嫔妃宫女。建章：宫名。

③凤管：乐器名。昭阳：汉文帝所居之处。

④承恩：受皇上宠爱。

⑤双蛾：女子修长的双眉。借指美人。

【译文】

打扮得花枝招展的美人被簇拥着出了建章宫，到昭阳宫侍奉皇帝去了。宫中箫管齐鸣，阵阵乐声不绝于耳。班婕妤的心被深深刺痛了，眼前的情景不正是自己不久前经历的吗？想到这些，心底涌起了幽怨，那些新承恩的人，你又能受宠多久呢？

题竹林寺[1]

朱放

岁月人间促，烟霞此地多。
殷勤竹林寺[2]，更得几回过[3]。

【作者简介】

朱放，字长通，襄州襄阳（今湖北襄阳）人。唐朝名士，工诗，有诗名。

【注释】

①竹林寺：在庐山仙人洞旁。

②殷勤：亲切的情意。

③过：访问。

【译文】

人生在世，岁月匆匆，但清新幽静的竹林寺附近，烟霞美景十分丰富。虽然爱这片烟霞，并对竹林寺有了感情，可我一生中又能欣赏几回这样的美景呢？

三闾庙[1]

戴叔伦

沅湘流不尽，屈子怨何深[2]。
日暮秋风起，萧萧枫树林[3]。

【作者简介】

戴叔伦（732—789），字幼公（一作次公），润州金坛（今属江苏）人。唐代诗人。其诗多表现隐逸生活和闲适情调，也有一些反映了人民生活的艰苦。

【注释】

①三闾（lú）庙：屈原庙。屈原曾任三闾大夫。此庙在长沙府湘阴县北（今湖南汨罗市）。此诗为凭吊屈原而作。

②何深：多么深。

③萧萧：风吹树木发出的响声。

【译文】

沅水、湘水汹涌奔流，屈原因为遭受小人的打击，不能实现抱负而哀怨、悲伤。天色渐晚，一阵阵秋风吹来，三闾庙边的枫林发出萧萧声响。

易水送别①

骆宾王

此地别燕丹②，壮士发冲冠③。
昔时人已没④，今日水犹寒⑤。

【作者简介】

骆宾王，字观光，婺州义乌人（今浙江义乌）。唐初诗人，“初唐四杰”之一。

【注释】

①易水：也称易河，河流名，位于河北西部易县境内。燕太子丹送别荆轲的地点。《战国策·燕策三》：“风萧萧兮易水寒，壮士一去兮不复还。”

②此地：原意为这里，这个地方。这里指易水岸边。别燕丹：指的是荆轲作别燕太子丹。

③壮士：义气豪壮而勇敢的人，勇士。这里指荆轲，战国卫人，刺客。发冲冠：形容人极端愤怒，因而头发直立，把帽子都冲起来了。冠，帽子。

④昔时：往日，从前。人：一种说法为单指荆轲，另一种说法为当时在场的人。没：死，即“殁”字。

⑤水：指易水之水。犹：仍然。

【译文】

就在易水岸边，荆轲辞别了为他壮行的燕太子丹。抱着赴死决心的勇士高唱悲歌，怒发冲冠，悲壮地离去。时光流逝，那时的人都已经淹没在历史的画卷之中，而今天的易水还是那样在寒风中滚滚东流。

别卢秦卿

司空曙

知有前期在[1]，难分此夜中。
无将故人酒，不及石尤风[2]。

【作者简介】

司空曙（约720—约790），字文明，一说字文初，广平（今河北永年）人。唐代诗人。他的诗作善于表达漂泊与失意之情，意蕴深长。

【注释】

①前期：约好再见面的日期。

②石尤风：也叫打头风。传说古代有一位姓尤的富商娶了一位石姓女子为妻。石氏多次阻止丈夫外出经商，但丈夫不听。后来石氏思念丈夫抑郁而死。她去世前许愿：死后要变成大风，阻止商船前行，好让天下的妻子能与丈夫团聚。此后，凡船行驶时遇到迎面吹来的逆风，难以行进，就叫作石尤风。

【译文】

就要与你送别了，明知我们已经把再次相聚的日期约好，可是在这真正离别的时候，我们还是难舍难分。老朋友呀，再留一留吧，我的这杯诚挚的酒未必不如那阻挡你的船行进的石尤风。

答人[①]

太上隐者[②]

偶来松树下，高枕石头眠。
山中无历日[③]，寒尽不知年。

【注释】

①诗人以隐士生活的无忧无虑，向人们展示了一位不食人间烟火的高人形象。答人：回答别人的问话。据诗意推断，人们对一位隐士好奇，问他的年纪，他作这首诗作为回答。

②太上：远古。传说中那时人们生活在一个理想的社会中。

③历：日历。

【译文】

当时有人问他有多少岁，他就说："我偶尔会来到松树下，头枕着石头休息。深山中没有日历，所以到了寒气消失的时候，我都不知道是哪年哪月。连我自己都不知道自己的年纪，怎么回答你呢？"

五言律诗

幸蜀回至剑门[①]

李隆基

剑阁横云峻，銮舆出狩回[②]。
翠屏千仞合，丹嶂五丁开[③]。
灌木萦旗转，仙云拂马来。
乘时方在德[④]，嗟尔勒铭才[⑤]。

【作者简介】

李隆基（685—762），唐玄宗，又称唐明皇，唐睿宗李旦的第三个儿子。精通韵律、书法，多才多艺。

【注释】

①幸蜀回至剑门：幸蜀，驾临四川。剑门，古县名，今四川剑阁东北，因剑门山而得名。这首诗是唐玄宗李隆基在安史之乱后从四川回长安，路过剑门时所写。

②銮舆：皇帝的车驾，此处是李隆基自指。出狩：皇帝到外地巡视。

③五丁开：传说中蜀道是由五个大力士开通的。丁，大力士。

④乘时：造就时势。

⑤勒铭才：建功立业的才能。

【译文】

高耸入云的剑门山险峻峭拔，我到蜀地避乱，如今得以回奔京城。只见那高有千仞的山峦如翠色的屏风，石壁像是削成的红色屏障，这条蜀地与外界往来的通道全凭传说中五位大力士开凿。山道灌木丛生，缠绕着旌旗，白云飘动，迎着马头浮游而来。治理天下应顺应时势，广施仁德之政。诸位大臣，你们平定了叛乱，为国效力，称得上是建功立业的栋梁之材。

和晋陵陆丞早春游望[1]

杜审言

独有宦游人[2]，偏惊物候新[3]。
云霞出海曙，梅柳渡江春。
淑气催黄鸟[4]，晴光转绿蘋[5]。
忽闻歌古调[6]，归思欲沾巾。

【作者简介】

杜审言（约645—708），字必简，襄州襄阳（今属湖北）人。唐代“近体诗”的奠基人之一。作品多朴素自然，其五言律诗格律谨严。

【注释】

①晋陵：今天的江苏常州。

②宦游人：离家做官的人。

③物候：指自然界的气象和季节变化。

④淑气：和暖的天气。

⑤绿蘋（píng）：浮萍。

⑥古调：指陆丞写的诗，即题目中的“早春游望”。

【译文】

对于一个离家远行，外出做官的人来说，自然物候的变化特别容易牵动他的心。东方的旭日就要升起，水面上浮现出灿烂的云霞，等到梅红柳绿之时，江北才刚刚回春。在和暖的春意里，黄莺在绿树丛中婉转啼叫，晴朗的阳光下浮萍的绿色渐渐转深。忽然听到你古朴而高雅的诗作，勾起我思念家乡的情怀，忍不住要落下泪来。

蓬莱三殿侍宴奉敕咏终南山[1]

杜审言

北斗挂城边[2]，南山倚殿前[3]。

云标金阙迥④，树杪玉堂悬⑤。
半岭通佳气⑥，中峰绕瑞烟⑦。
小臣持献寿⑧，长此戴尧天⑨。

【注释】

①蓬莱三殿：唐代皇宫里大明宫内有紫宸、蓬莱、合元三殿，统称蓬莱三殿。侍宴：陪侍皇帝宴饮。奉敕（chì）：奉皇帝之命。敕，帝王诏令。

②北斗：北斗七星。

③南山：指终南山。《诗经》："如南山之寿，不骞不崩。"后世用来象征长寿。

④云标：云端。标，本为树梢，此指云层表面。金阙：天子居住的宫殿。阙，宫门前供瞭望的塔楼。迥：远。

⑤杪（miǎo）：树梢，树枝末端。玉堂：此为宫殿的美称，指终南山上精美的建筑。

⑥佳气：指吉祥的气象。

⑦瑞烟：祥瑞的云气。瑞，吉祥。

⑧小臣：诗人对自己的谦称。

⑨戴尧天：头顶尧帝之天，指生活在圣王统治之下。

【译文】

北斗星在清澈幽蓝的夜空中闪耀，仿佛就悬挂在长安城边上一样，苍翠的终南山巍峨绵延，好像就伫立在蓬莱三殿的前面。建在终南山上富丽堂皇的宫殿仿佛浮在彩云之上，楼阁亭台都像在树梢上高高悬起。半山腰浮动着清新怡人之气，山峰上萦绕着吉祥的气象。我端着酒恭敬地向皇帝祝寿，愿永远生活在如尧帝时代一样的太平盛世里。

春夜别友人

陈子昂

银烛吐清烟①，金尊对绮筵②。

离堂思琴瑟[③]，别路绕山川。
明月隐高树，长河没晓天[④]。
悠悠洛阳道[⑤]，此会在何年。

【注释】

①银烛：明亮的蜡烛。

②绮筵：丰盛的酒席。

③离堂：饯别的处所。琴瑟：指朋友宴会之乐。《诗经·小雅·鹿鸣》：“我有嘉宾，鼓琴鼓瑟。”

④长河：指银河。

⑤悠悠：遥远。洛阳道：通往洛阳的路。

【译文】

明亮的烛火吐着淡淡的烟，面对丰盛的宴席，高举起酒杯畅饮。饯别时回忆着朋友的深厚感情，分别后跋山涉水，走上遥远的路途。这场春光里的盛宴从头一天晚上一直持续到明月西坠银河的第二天拂晓。走上了去往洛阳的悠长路途，不知什么时候才能再有这样的聚会。

长宁公主东庄侍宴[①]

李峤

别业临青甸[②]，鸣銮降紫霄[③]。
长筵鹓鹭集[④]，仙管凤凰调。
树接南山近，烟含北渚遥[⑤]。
承恩咸已醉，恋赏未还镳[⑥]。

【作者简介】

李峤（644—713），字巨山。赵州赞皇（今属河北）人。李峤对唐代律诗和歌行的发展有一定的影响。他前与王勃、杨炯相接，又和杜审言、崔融、苏味道并称“文章四友”。

【注释】

①诗作于景龙四年（710）四月，中宗驾临长宁公主庄园，诗人奉命作此诗。长宁公主：唐中宗李显的女儿。

②青甸：青色的郊原。

③鸣銮：皇帝的车驾。

④鹓（yuān）鹭：两种鸟，它们群飞而有序，因以喻朝官齐集，列队班行。

⑤北渚：渭河。

⑥镳（biāo）：马嚼子，这里代指马。

【译文】

长宁公主的东庄别墅坐落在绿草如茵的城郊，皇上的御驾好像从天而降。举行盛宴，百官整齐有序地拜见，奏起的乐曲优美动听。别墅里树木高耸，简直要与终南山相连。庄园里烟霞缭绕，与渭水遥相呼应。得到皇上的恩泽，群臣纷纷畅饮。因为留恋东庄美景，要继续欣赏，还没有回去。

恩赐丽正殿书院赐宴应制得林字①

张说

东壁图书府②，西园翰墨林③。
诵诗闻国政，讲易见天心④。
位窃和羹重⑤，恩叨醉酒深⑥。
载歌春兴曲，情竭为知音⑦。

【注释】

①丽正殿：唐代宫殿名。应制得林字：奉唐玄宗之命作诗，规定用“林”字韵。

②东壁：星名，二十八宿之一，主管文章。

③西园：魏武帝建造西园，召集文人来此赋诗。东壁与西园，都是代指丽正殿书院。

④诗：《诗经》。易：《易经》。

⑤位窃和羹重：我忝为宰相，肩负着调理政治的重任。窃，谦辞，窃居。

⑥叨：承受。

⑦知音：知己，知遇。这里指皇帝。

【译文】

丽正殿里设了书院，成了文人学士集会的地方。这里文化氛围浓厚，通过诵读《诗经》了解治国的道理，通过讲解《易经》懂得天意。我忝列宰相之位，肩负着辅佐皇帝的重要责任。承蒙皇帝赐宴，不知不觉间喝了很多美酒，已是醉意渐浓。诵唱一首春兴曲，竭尽我的才智赋诗酬谢和音。

送友人

李白

青山横北郭①，白水绕东城②。
此地一为别③，孤蓬万里征④。
浮云游子意⑤，落日故人情。
挥手自兹去⑥，萧萧班马鸣⑦。

【注释】

①郭：古代在城外修筑的一种外墙。

②白水：清澈的水，护城河。

③一：助词，加强语气。为别：分别。

④蓬：随风飞旋的蓬草，这里比喻即将孤身一人踏上远行之路的朋友。征：远征，远行。

⑤浮云：飘动的云，指友人的行踪。游子：离家远游的人。

⑥兹：现在。

⑦萧萧：拟声词，马的嘶叫声。班马：离群的马。这里指载人远行的马。

【译文】

城郭的北面青山伫立，城郭的东面有护城河环绕。你我就要在这里分别，此后你就像飞蓬一样漂泊万里了。天上的白云飘浮不定，像你这位游子游荡各地。即将落山的夕阳不忍沉没，恰似我对你的依依不舍。你我挥手告别，马儿似乎不忍载你远行，萧萧地嘶鸣着，更增加了我的离愁。

送友人入蜀

李白

见说蚕丛路①，崎岖不易行②。
山从人面起③，云傍马头生④。
芳树笼秦栈⑤，春流绕蜀城⑥。
升沉应已定⑦，不必问君平⑧。

【注释】

①见说：唐代俗语，即“听说”。蚕丛：古代蜀国的君王，代指蜀地。蚕丛路：代称入蜀的道路。

②崎岖：道路不平。

③山从人面起：人在栈道上走时，紧靠峭壁，山崖好像从人的脸旁边突兀而起。

④云傍马头生：云气依傍着马头而升腾。

⑤芳树：开着花的树木。秦栈：由秦（今陕西）入蜀的栈道。

⑥春流：春江水涨，江水奔流。

⑦升沉：指人在世间的遭遇和命运。

⑧君平：西汉严遵，字君平，隐居不仕，曾经在成都靠占卜为生。

【译文】

听说从这里去往蜀地的道路，陡峭险阻，自古就不易通行。崔嵬直立的山崖从人的脸旁耸起，云气靠近着马头飘浮翻腾。开着花的树木掩映着从秦地进入蜀地的栈道，春水围绕着蜀地的都城。仕途的沉浮升降命中已经注定，用不着去询问会占卜的人。

次北固山下①

王湾

客路青山外②，行舟绿水前。
潮平两岸阔③，风正一帆悬④。
海日生残夜⑤，江春入旧年⑥。
乡书何由达，归雁洛阳边⑦。

【作者简介】

王湾（693—751），洛阳（今河南洛阳）人。唐玄宗先天年间进士。往来于吴楚间，为江南清丽的山水所倾倒，写下了一些歌咏江南山水的作品，《次北固山下》就是其中最为著名的一篇。

【注释】

①次：到。这里是停泊的意思。北固山：在今江苏镇江北，三面临长江。

②客路：旅途。

③潮平两岸阔：潮水涨满时，两岸之间水面宽阔。

④风正：顺风。悬：挂。

⑤海日：海上的旭日。残夜：夜色将尽。

⑥江春：江南的春天。

⑦归雁：北归的大雁。大雁每年秋天飞往南方，春天飞往北方。古代有大雁传递书信的传说。

【译文】

我要去的地方远在青山以外，在碧绿的江水里行舟，潮水涌涨，两岸之间水面显得十分宽阔，顺风行船正好把船帆高高悬起，小船快速地行驶。旭日冲破了夜色在江上冉冉升起。旧年还没过完，江南已有了春天的气息。有谁能为我寄去家书呢？希望北归的大雁能把我的思念捎到洛阳去。

苏氏别业

祖咏

别业居幽处，到来生隐心①。
南山当户牖②，沣水映园林③。
竹覆经冬雪，庭昏未夕阴④。
寥寥人境外，闲坐听春禽。

【作者简介】

祖咏（699—746），洛阳（今河南洛阳）人。盛唐山水田园诗派代表人物。擅长诗歌创作，与王维交好。仕途不畅，后归隐汝水一带，诗作以描写隐居生活、山水风光为主。

【注释】

①隐心：隐居之心。

②户牖（yǒu）：窗户。

③沣水：水名，发源于秦岭，经鄠邑区、西安入渭水。

④未夕阴：还未感觉到黄昏，意思是说院中还不觉得天黑。

【译文】

苏氏的别墅在非常清静的地方，来到这里的人会立即产生在这里隐居的想法。别墅的对面就是终南山，沣水绕着庄园的园林，冬天过去后，还有未融化的雪覆盖在竹梢，快到黄昏时庭院里幽静昏暗。这里远离人境，可以悠闲自在地听春鸟的鸣叫。

春宿左省①

杜甫

花隐掖垣暮②，啾啾栖鸟过③。

星临万户动，月傍九霄多。
不寝听金钥[4]，因风想玉珂[5]。
明朝有封事[6]，数问夜如何。

【注释】

①作这首诗时杜甫任左拾遗，描写了诗人在门下省值班时从傍晚到深夜再到清晨的见闻感受，表现诗人值夜班时的忠于职守。宿：指值夜。左省：即左拾遗所属的门下省，和中书省同为掌机要的中央政府机构，因在殿庑之东，故称“左省”。

②掖垣（yè yuán）：门下省和中书省位于宫墙的两边，像人的两腋。

③啾啾（jiū）：鸟叫声。

④金钥：即金锁，指开宫门的锁钥声。

⑤珂：马铃。

⑥封事：臣下上书皇帝奏事，为了防止泄露，用袋子密封，因此而得名。

【译文】

暮色中，偏殿的矮墙边花木隐约可见，投林栖息的鸟儿，一群一群地鸣叫着掠过。空中群星闪耀，皇宫的千门万户似乎在闪烁。在月光的照耀下，皇宫更显得明亮。夜里值班不敢睡下，听着锁钥开启宫门的声响。晚风习习，想起百官上朝的马铃声。明天早晨上朝，还有奏本要上呈。因为肩负责任心里不安，多次探问到了几更天。

题玄武禅师屋壁[1]

杜甫

何年顾虎头[2]，满壁画沧州[3]。
赤日石林气，青天江海流。
锡飞常近鹤[4]，杯渡不惊鸥[5]。
似得庐山路，真随惠远游[6]。

【注释】

①玄武禅师屋：是一佛寺，故址在今四川三台。

②顾虎头：晋代画家顾恺之。

③沧州：临水的地方。古称隐士所居之地。

④锡飞常近鹤：传说梁时，僧侣宝志与白鹤道人都想隐居山中，两个人都有法术，因此梁武帝就命他们各用器物标记下他们想要的地方。道人放出了白鹤，宝志则把手中的锡杖挥到空中，锡杖和白鹤一起飞入云中。当鹤飞到山中时，锡杖已经先立于山上了。梁武帝就以它们各自停立的地方让两人建屋居住。

⑤杯渡不惊鸥：这是画作上画的另一个典故。传说有高僧乘木杯渡海而来，于是人们称他为杯渡禅师。

⑥惠远：东晋时的高僧，曾在庐山修行。与陶渊明有交往，这里以惠远比玄武禅师，以陶渊明自比。惠应作“慧”。

【译文】

不知是什么时候，顾恺之在这墙壁上画了一幅隐士居地的图。石林在红日映照下云雾缭绕。大海与蓝天相接，日夜奔流。宝志和尚的锡杖飞舞，与白鹤道人的仙鹤齐飞，高僧乘坐木杯渡过大海，轻快敏捷，连海鸥都没有被惊动。看了墙壁上这幅意境高远的画作，就好像陶渊明找到进入庐山的道路，要随着慧远高僧远游了。

终南山

王维

太乙近天都①，连山到海隅②。
白云回望合，青霭入看无③。
分野中峰变④，阴晴众壑殊⑤。
欲投人处宿⑥，隔水问樵夫。

【注释】

①太乙：又名太一，终南山别名。天都：天帝所居，这里指帝都长安。

②海隅：海边。终南山并不到海，此为夸张之词。

③青霭：山中的岚气。霭，云气。

④分野：古天文学名词。古人以天上二十八个星宿的位置来区分中国境内的地域，被称为分野。地上的每一个区域都对应星空的某一处分野。

⑤壑（hè）：山谷。“分野中峰变，阴晴众壑殊”这两句诗是说终南山连绵延伸，占地极广，中峰两侧的分野都变了，众山谷的天气也阴晴变化，各自不同。

⑥人处：有人烟处。

【译文】

巍巍的终南山临近长安城，峰峦起伏一直绵延到海边。朵朵白云飘浮，聚合成一片，远望青青的烟云迷茫，进入山中后却不见了。位于中央的主峰高耸入云，把山峦左右隔开。山中的各个山峰、山谷之间景色大不相同，阴晴多变。我想在山里找个有人家的地方投宿，隔着流水询问樵夫我该到哪里去。

寄左省杜拾遗[1]

岑参

联步趋丹陛[2]，分曹限紫薇[3]。
晓随天仗入[4]，暮惹御香归[5]。
白发悲花落，青云羡鸟飞[6]。
圣朝无阙事[7]，自觉谏书稀[8]。

【注释】

①左省：门下省。杜拾遗：杜甫，曾任左拾遗。

②联步：同行。丹陛：皇宫的红色台阶，借指朝廷。

③曹：官署。限：阻隔，引申为分隔。

④天仗：仙仗，皇家的仪仗。

⑤惹：沾染。御香：朝会时殿中设炉燃香。

⑥青云：隐喻高官显爵。以鸟飞入青云，比喻杜甫很快会得到显要的官位。

⑦阙事：指错失。

⑧自：当然。谏书：劝谏的奏章。

【译文】

上朝时我和你一起步入宫殿，分班时各立左右。清早跟着天子的仪仗进入朝堂，晚上周身熏染着御炉中的芳香回来。我的头发花白，感叹春花凋落，远望青云万里，羡慕鸟儿高飞。皇帝圣明没有缺憾之处，劝谏的奏章也日渐稀少了。

登总持阁[①]

岑参

高阁逼诸天[②]，登临近日边。
晴开万井树[③]，愁看五陵烟。
槛外低秦岭，窗中小渭川[④]。
早知清净理，常愿奉金仙[⑤]。

【注释】

①诗人从多个角度，运用夸张的手法描绘出总持阁的恢宏，并把登临后体验到的超脱境界描绘出来。总持阁：在终南山上。总持，佛教用语，指“持善不失，持恶不生，无所缺漏”。

②诸天：天空。

③井树：泛指街道与村落。

④渭川：渭水。

⑤金仙：用金色涂抹的佛像。

【译文】

总持阁高耸入云，登上楼阁好像离太阳很近了。趁天气晴好，在楼阁上俯视，长安城中的树木尽收眼底，城郊五陵一带烟雾迷茫，动人愁思。靠着栏杆远望，远处的秦岭显得很低矮，站在窗边，看那渭水河流都显得细小。我早已体会到佛教的清净之理，希望能经常来侍奉佛像，净化内心。

登兖州城楼[1]

杜甫

东郡趋庭日[2]，南楼纵目初[3]。
浮云连海岱[4]，平野入青徐[5]。
孤嶂秦碑在[6]，荒城鲁殿余[7]。
从来多古意[8]，临眺独踌躇。

【注释】

①兖州：唐代州名，在今山东。杜甫的父亲杜闲任兖州司马。

②东郡趋庭：到兖州看望父亲。

③初：初次。

④海岱：东海、泰山。

⑤入：一直伸展到某处。青徐：青州、徐州。

⑥秦碑：秦始皇命人所记的歌颂他的功德的石碑。

⑦鲁殿：汉时景帝的儿子鲁恭王刘余在曲阜城修的灵光殿。

⑧古意：伤古的意绪。

【译文】

我来兖州看望父亲，在这段日子里，第一次登上城楼向远处眺望。白云飘浮，仿佛连接着东海和泰山，一望无际的平坦原野直入青州和徐州。秦始皇东游泰山时留下的石碑像一座高高的山峰屹立着，鲁恭王刘余建造的灵光殿早已不在了，只剩下一片荒芜的城池。本来我就有怀古伤感的情怀，此时在城楼上远眺，独自徘徊，思古今之事，心中充满了感慨。

送杜少府之任蜀州[1]

王勃

城阙辅三秦[2]，风烟望五津[3]。

与君离别意[4]，同是宦游人[5]。
海内存知己[6]，天涯若比邻[7]。
无为在歧路[8]，儿女共沾巾[9]。

【作者简介】

王勃（650—676），字子安，古绛州龙门（今山西河津）人。出身儒学世家，“初唐四杰”之首。他自幼聪敏好学，并历时三年游览巴蜀山川景物，创作了大量诗文。上元三年（676）八月，自交趾探望父亲返回时，不幸渡海溺水，惊悸而死，年仅二十六岁。王勃在诗歌体裁上擅长五律和五绝，代表作品有《送杜少府之任蜀州》，主要文学成就是骈文，代表作品有《滕王阁序》等。

【注释】

①少府：官名。之：到、往。蜀州：现四川崇州。

②城阙辅三秦：秦朝末年，项羽灭秦，把关中分为三区，分别封给三个秦军的降将，所以后世称此地为三秦。城阙，即城楼，指唐代京师长安城。辅，护卫。三秦，指长安城附近的关中，今陕西潼关以西。

③五津：四川岷江上的五个渡口，泛指蜀地。

④君：对人的尊称，这里指“你”。

⑤宦游：出外做官。

⑥海内：四海之内，即全国各地。古代人认为我国疆土四周被海围绕，所以称天下为四海之内。

⑦天涯：天边，比喻极远的地方。比邻：并邻，近邻。

⑧无为：不必。歧（qí）路：岔路。古人送行常在岔路口告别。

⑨沾巾：泪水沾湿衣服，意思是挥泪告别。

【译文】

三秦地区的城阙护卫着长安，我们在此地分别，在风烟迷茫之中，遥望蜀州。我和你离别时有着相同的愁绪，因为我们都是出外做官的人。只要在四海之内都有知己朋友，即使远在天涯也像近邻。不必在告别的地方，像小儿女一样让泪水沾湿衣襟。

送崔融①

杜审言

君王行出将②，书记远从征③。
祖帐连河阙④，军麾动洛城⑤。
旌旗朝朔气⑥，笳吹夜边声⑦。
坐觉烟尘扫⑧，秋风古北平⑨。

【注释】

①崔融：杜审言的友人，字安成，齐州全节（今山东历城）人。唐代文学家。时任节度使书记官，与杜审言有深交。

②行出将：将要派大将出征。

③书记：崔融为节度使掌书记之官。

④祖帐：为送别友人在路上设的酒宴帷帐。连河阙：从京城绵延到黄河边。阙，宫殿，此指京城。

⑤军麾（huī）：军旗，这里代指军队。

⑥旌旗：旗帜、军旗。朔气：北方寒冷的空气。

⑦边声：边界上的警报声。

⑧坐觉：顿觉。烟尘：古时边境有敌人入侵时，便举火焚烟用来报警，这里指战事。

⑨古北平：指北方边境。

【译文】

皇帝将派遣大将出师远征，担任书记官的你也要随军前往。为将士们饯别的酒宴规模十分盛大，军威雄壮，使整个洛阳城都轰动了。清晨，军旗在寒气中迎风飘动，夜晚，边境上传来吹奏胡笳之声。不久，战事就会胜利结束，边境就会平定。

扈从登封途中作[①]

宋之问

帐殿郁崔嵬[②]，仙游实壮哉。
晓云连幕卷，夜火杂星回。
谷暗千旗出，山鸣万乘来[③]。
扈从良可赋[④]，终乏掞天才[⑤]。

【注释】

①扈（hù）从：随从皇帝出行。登封：在今河南郑州登封市，位于嵩山之南。

②帐殿：皇帝出巡时休息的帐幕。郁：积聚。崔嵬：高峻。

③山鸣：据《汉书·武帝纪》记载，汉武帝祭嵩山，随从者听见山神恭呼万岁的声音。万乘：指天子。按周代的制度，天子有地方千里，兵车万辆。乘，古时四马并驾一车，称为一乘。

④良：确实。赋：写作。

⑤掞（yàn）天：光芒照天。掞，照耀。

【译文】

帐幕搭建的临时宫殿坐落在雄伟的嵩山上，皇帝出游的场面十分壮观。清晨，云彩连同帐幕涌动卷翻，夜晚，灯火夹杂着星光回旋萦绕。幽暗的山谷无数面旗帜飘动，天子车驾到来，山神也恭呼万岁。我有幸跟随皇帝出游，应写诗献词歌颂，但终究还是缺乏颂扬圣德的才华。

题义公禅房[①]

孟浩然

义公习禅寂[②]，结宇依空林。
户外一峰秀，阶前众壑深。

夕阳连雨足[3]，空翠落庭阴[4]。
看取莲花净[5]，方知不染心。

【注释】

①此诗由赞美禅房清幽到赞美高僧义公禅心不染，婉转地表达了对世俗社会的厌倦。

②义公：指诗中提到的高僧。习禅寂：习惯于佛教清幽的环境。

③雨足：指像线一样紧密连接的雨点。

④空翠：明净青翠的山林景色。庭阴：庭院的背阴处。

⑤莲花：佛教以莲花为最洁。

【译文】

义公高僧喜爱幽静，将禅房建于寂静的树林中。一座秀美挺拔的山峰就在对面，众多深深的沟壑在台阶前面。雨过天晴的傍晚，柔和的夕阳照射，碧绿鲜明，树影婆娑映入了禅院之中。义公高僧心中纯净，他有着一颗纤尘不染的虔诚之心。

醉后赠张九旭[1]

高适

世上漫相识[2]，此翁殊不然。
兴来书自圣[3]，醉后语尤颠[4]。
白发老闲事，青云在目前。
床头一壶酒，能更几回眠。

【注释】

①张九旭：即张旭，盛唐时期杰出的书法家，以草书著称，人称“草圣”。高适这首赠张旭之作，是天宝十一年（752）入长安与张旭相见共饮醉后所写，因张旭排行第九，故称张九旭。

②漫相识：随便交往。漫，不受约束。

③自圣：自以为技能高超。

④颠：也作癫，癫狂。张旭是一位极有个性的草书大家，因他常喝得大醉，就呼叫狂走，然后落笔成书，甚至以头发蘸墨书写，故又有“张颠”之名。

【译文】

普通人交朋友很随便，这张旭却不一样，兴致起时书法浑然天成，醉酒之后言语极为豪放，头发白了而怡然自得，从来不问世间的繁杂之事。他的眼里只有天空中自在飘浮的白云，床头放着一壶酒，人生能有几回醉呢！

玉台观[①]

杜甫

浩劫因王造[②]，平台访古游[③]。
彩云萧史驻[④]，文字鲁恭留[⑤]。
宫阙通群帝[⑥]，乾坤到十洲[⑦]。
人传有笙鹤[⑧]，时过北山头。

【注释】

①诗歌用典故和神话传说描绘了玉台观的雄伟。玉台观：故址在四川阆中，相传为唐宗室滕王李元婴建。

②浩劫：道家称宫观的阶层为浩劫。

③平台：古迹名，在河南商丘东北。此处指玉台观。

④彩云：指壁画上的云彩。萧史：《列仙传》中说，萧史善于吹箫，秦穆公把女儿弄玉嫁给了他，并为他们建造了凤台，数年之后，弄玉跨凤，萧史驾龙，双双升天成仙，即后世所说的“乘龙快婿”。

⑤鲁恭：鲁恭王刘余。他为了建灵光殿曾拆除孔子的旧宅，在墙壁里发现了《古文尚书》等儒家经典。此处借典故来指玉台观上的题词。

⑥群帝：五方的天帝。

⑦乾坤：代指玉台观的殿宇。十洲：古代传说中仙人居住的十个岛屿，即

祖洲、瀛洲、玄洲、炎洲、长洲、元洲、流洲、生洲、凤麟洲、聚窟洲，诗中是四海之地的意思。

⑧人传有笙鹤：传说中王子乔（周灵王的儿子）乘鹤飞升成仙的故事。

【译文】

玉台观是由滕王建造的，雄伟异常，到这里观看它仿佛是到春秋时建造的平台游览一样。壁画上画着仙人萧史站在五彩祥云之中，栩栩如生，石碑上刻着题词。气势恢宏的玉台观直通五方天帝诸神，殿内的壁画画出了四海仙界的人物。人们传说听到有笙的吹奏声和鹤的鸣叫声，大概是周代的仙人王子乔乘鹤从北山头飞过吧。

观李固请司马弟山水图[①]

杜甫

方丈浑连水[②]，天台总映云[③]。
人间长见画，老去恨空闻。
范蠡舟偏小，王乔鹤不群。
此生随万物，何处出尘氛[④]。

【注释】

①诗作于代宗广德二年（764），蜀人李固将表弟作的画给杜甫看，请他题咏。司马弟：李固的弟弟，任司马。

②方丈：传说中的海上三座仙山之一。

③天台：即天台山，位于浙江。

④尘氛：尘俗的气氛。

【译文】

仙山方丈被烟波浩渺的海水围绕着，而天台山总是云雾缭绕。我常常看见如此美丽的画卷。令人遗憾的是我人已然老了，只能空闻，不能身临其境，观赏实景。春秋时范蠡泛游五湖，超然物外，可他的船太小了，难以容下我一起同游；周灵王的儿子乔乘鹤升仙，逍遥自在，可他的仙鹤也只有一只，无法载我一起飞升。这一生只能随着万物沉浮，在哪里能够跳出这尘俗世间呢？

旅夜书怀

杜甫

细草微风岸[①]，危樯独夜舟[②]。
星垂平野阔[③]，月涌大江流[④]。
名岂文章著，官因老病休。
飘飘何所似[⑤]，天地一沙鸥。

【注释】

①岸：指江岸边。

②危樯（qiáng）：高竖的桅杆。独夜舟：是说自己孤独一人夜泊江边。

③星垂平野阔：星空低垂，原野显得格外广阔。

④月涌：月亮倒映，随水流涌。大江：指长江。

⑤飘飘：飞翔的样子，这里含有“飘零”的意思，借沙鸥以写人的漂泊。

【译文】

江岸柔软的细草在微风的吹拂中摇动着，小船立着高高的桅杆，在夜色里孤零零地停泊。因为原野开阔，所以星星显得好像从天空垂下来一样，长江奔腾不息，月亮好似从江面上涌现。我难道是因为文章而著名吗？休官倒是因为年老病多。自己到处漂泊，孤寂一人像什么呢？就如同天地间一只孤独的沙鸥。

登岳阳楼[①]

杜甫

昔闻洞庭水，今上岳阳楼[②]。

吴楚东南坼[③]，乾坤日月浮。
亲朋无一字[④]，老病有孤舟[⑤]。
戎马关山北[⑥]，凭轩涕泗流[⑦]。

【注释】

①诗作于唐代宗大历三年（768），当时吐蕃攻打陇右、关中一带，杜甫带家眷由湖北公安向南，到达岳阳，登上岳阳楼，作此诗。

②洞庭水：即洞庭湖，在今湖南北部，长江南岸，是我国第二大淡水湖。岳阳楼：在今湖南岳阳，下临洞庭湖。

③吴楚：春秋时期吴国和楚国。坼（chè）：分裂，这里引申为划分。

④无一字：杳无音讯。字，这里指书信。

⑤老病：年老多病。杜甫当时五十六岁，患有肺病、风痹，右耳已聋。有孤舟：唯有孤舟一叶飘零无定。

⑥戎马关山北：北方边关战事又起。当时吐蕃侵扰宁夏灵武、陕西邠（bīn）州一带，朝廷匆忙调兵抗敌。

⑦凭轩：倚着楼窗。涕泗流：眼泪禁不住地流下来。涕泗，眼泪和鼻涕，偏义复指，即眼泪。

【译文】

对于碧波荡漾的洞庭湖，我早有耳闻，今天终于如愿登上湖旁边的岳阳楼。波澜壮阔的湖水把吴楚两地分开，似乎日月星辰都漂浮在湖中。我的亲朋好友们一点音信也没有，我年老多病，乘孤舟四处漂流。北方边关战事又起，家国多难，想到此，我倚着楼窗远望，泪流满面。

江南旅情

祖咏

楚山不可极[①]，归路但萧条。
海色晴看雨，江声夜听潮。

剑留南斗近[2]，书寄北风遥。
为报空潭橘[3]，无媒寄洛桥[4]。

【注释】

①楚山：楚地之山。

②南斗：星名，南斗六星，即斗宿。古人有“南斗在吴”的说法。

③潭橘：吴潭的橘子。

④洛桥：洛阳天津桥，代指洛阳。

【译文】

楚地山脉绵延，没有尽头，回到故乡的路崎岖难行。看到江面上日出时彩霞缤纷，就知道要下雨了。听到大江波涛澎湃的声音，就知道夜潮将会来临。我过着飘零的生活，家乡遥远，家书难寄，就像北风之下的大雁，飞到南方而不能北回。吴潭的美味橘子熟了，想带一些回家，可又托谁把它带到洛阳呢？

宿龙兴寺[1]

綦毋潜

香刹夜忘归[2]，松清古殿扉。
灯明方丈室[3]，珠系比丘衣[4]。
白日传心净[5]，青莲喻法微[6]。
天花落不尽[7]，处处鸟衔飞。

【作者简介】

綦（qí）毋（wú）潜（692—749），字孝通，虔州（今江西南康）人。盛唐田园山水诗代表人物。其诗清丽典雅，恬淡适然，后人认为其诗风与王维诗风接近。

【注释】

①龙兴寺：在今湖南零陵西南。

②香刹：寺院。此指龙兴寺。

③方丈室：寺院主持的房间，这里泛指禅房。

④比丘：和尚。

⑤心：禅心。

⑥青莲：青色莲花，佛教中以为莲花一尘不染，常用来指和佛有关的事务。微：精微。

⑦天花：天女所散之花。

【译文】

白天时到龙兴寺里来游览，竟然到了晚上都忘了回去，阵阵清风拂过寺庙门外的松树林。禅堂被灯照得十分明亮，念经的和尚衲衣上系着佛珠。佛理透彻，佛法精微，让人觉得如天女散花飘落不尽，处处都有鸟儿衔着飞上天空。

破山寺后禅院①

常建

清晨入古寺②，初日照高林③。
曲径通幽处④，禅房花木深⑤。
山光悦鸟性⑥，潭影空人心。
万籁此俱寂⑦，惟闻钟磬音⑧。

【作者简介】

常建，生平事迹不详，唐玄宗开元十五年（727）与王昌龄同榜进士。其诗多为五言，常以山林、寺观为题材，也有部分边塞诗。

【注释】

①破山寺：即兴福寺，在今江苏常熟市西北虞山上。

②清晨：早晨。入：进入。古寺：指破山寺。

③高林：高树之林。

④幽：幽静。

⑤禅房：僧人居住修行的地方。

⑥悦：此处为使动用法，使……高兴。

⑦万籁（lài）：各种声音。籁，从孔穴里发出的声音，泛指声音。此：在此，即在后禅院。

⑧钟磬：佛寺中召集众僧的打击乐器。

【译文】

清早，我走进了这座古老的寺院，初升的红日映照着高大葱茏的树林。竹林掩映的曲折小路通向幽深处，诵经的禅房前后花木十分繁茂。山光明媚使鸟儿感到欢悦，潭水清澈让人心净。此刻万物静寂，只听到敲钟击磬之声。

题松汀驿[①]

张祜

山色远含空[②]，苍茫泽国东[③]。
海明先见日，江白迥闻风[④]。
鸟道高原去，人烟小径通[⑤]。
那知旧遗逸[⑥]，不在五湖中。

【作者简介】

张祜（约782—852），字承吉，唐代著名诗人。其诗风沉静浑厚，有隐逸之气。

【注释】

①松汀（tīng）驿：驿站名，在江苏境内太湖边上。

②含：包含。空：指天空。

③苍茫：形容无边无际。泽国：形容水多的地方。

④江白：江水泛白波。迥：远。

⑤人烟：指有人居住的地方。

⑥旧遗逸：指遗世独立的老朋友。

【译文】

从松汀驿向远处眺望，青翠的山色与遥远的天边相连，东面是碧波万顷的水面。早晨可以看到东升的旭日，白茫茫的水面上可以听到远处传来的风声。只有飞鸟才通过的险要山路通往高原，蜿蜒的小路通向村落。谁知我要寻找的隐逸的老友，却都已经不在太湖这边了。

圣果寺①

释处默

路自中峰上，盘回出薜萝②。
到江吴地尽③，隔岸越山多。
古木丛青蔼，遥天浸白波。
下方城郭近，钟磬杂笙歌。

【作者简介】

释处默，唐末诗僧，曾居于庐山，经常与贯休、罗隐等人交往。

【注释】

①圣果寺：佛寺名，在杭州城南凤凰山上。

②盘回：盘旋曲折。薜（bì）萝：攀缘植物。

③江：指钱塘江。

【译文】

要到圣果寺去，需要经过凤凰山主峰的陡峭小道。蜿蜒曲折的山路上布满薜萝。到了钱塘江边，也就到了吴地的尽头，山峦起伏的对岸已是古时越国的地界了。圣果寺里浓密青葱的古木笼罩在烟雾之中，遥望钱塘江水天相接，一片苍茫。山下的杭州城尽收眼底，寺中的钟磬声与湖上的笙管之乐交织在了一起。

野望

王绩

东皋薄暮望[①]，徙倚欲何依[②]。
树树皆秋色[③]，山山惟落晖[④]。
牧人驱犊返[⑤]，猎马带禽归[⑥]。
相顾无相识，长歌怀采薇[⑦]。

【作者简介】

王绩，字无功，号东皋子，绛州龙门（今山西河津）人。唐代诗人。诗歌多写山水田园风光与隐士生活。

【注释】

①东皋（gāo）：诗人隐居的地方。薄暮：傍晚。薄，迫近。

②徙倚：徘徊，来回地走。

③秋色：一作“春色”。

④落晖：落日。

⑤犊（dú）：小牛，这里指牛群。

⑥禽：鸟兽，这里指猎物。

⑦采薇：薇，一种植物，可以作为野菜。相传周武王灭商后，伯夷、叔齐不愿做周的臣子，在首阳山上采薇而食，最后饿死。古时“采薇”代指隐居生活或指与新政权的不合作。

【译文】

傍晚时分，我站在东皋向远处眺望，心中充满彷徨，树林都被染上秋天的颜色，一重重山岭都披覆着落日的余晖。黄昏时分，放牧的人驱赶着牛群向回家的方向走去，狩猎的人带着捕获的猎物骑马从我的身旁走过。大家相对无言彼此互不相识，让我产生了一种孤独之感，我长啸高歌《诗经·采薇》中的诗句。

送别崔著作东征[1]

陈子昂

金天方肃杀[2]，白露始专征[3]。
王师非乐战，之子慎佳兵。
海气侵南部[4]，边风扫北平[5]。
莫卖卢龙塞[6]，归邀麟阁名[7]。

【注释】

①这首诗作于武则天万岁通天元年（696）五月，契丹攻打营州，朝中派武三思为榆关道安抚使东征，诗人的好友崔融作为东征书记随军出征。诗人写下这首诗相赠，告诫好友不要虚报战功，滥杀无辜，表达出诗人慎于用兵的主张。崔著作：崔融，字安成，唐代诗人。

②金天：秋天。肃杀：形容萧瑟、寒气逼人的情景。古人认为秋天充满肃杀之气，是用兵的好时候。

③白露：立秋之后的第三个节气。专征：专门从事讨伐。

④海气：边地沙尘。侵南部：向南进犯。

⑤北平：郡名，在今天的河北卢龙县。

⑥卖：丢失。卢龙塞：古代军事要塞，在今天河北喜峰口一带。

⑦麟阁：汉代建有麒麟阁，阁中画有功臣的画像以示表彰。

【译文】

秋天正是肃杀的时节，白露已到了，就要开始出兵讨伐了，我们的军队并不是穷兵黩武之师，我们一定要慎重对待用兵之事。北面的契丹向南进犯我们的边疆，又侵扰北平郡，绝不能丢失卢龙塞，胜利归来时，皇上会为你们庆功封赏。

携妓纳凉晚际遇雨　其一[1]

杜甫

落日放船好，轻风生浪迟。

竹深留客处，荷净纳凉时。
公子调冰水[2]，佳人雪藕丝[3]。
片云头上黑，应是雨催诗。

【注释】

①诗题一作《陪诸贵公子丈八沟携妓纳凉晚际遇雨二首》，这是第一首，诗中写贵公子游赏之乐，与佳人薄暮泛舟的情景。

②调冰水：用冰调制冷饮。

③雪藕丝：把藕的白丝除掉。

【译文】

夕阳西下，是放船乘凉的好时机，河面上吹拂着凉爽的风，水面泛起涟漪。水边翠绿的竹林深处，正是让游玩的人流连忘返的好地方。荷叶青青的湖面，正好可以歇凉。贵公子们用冰调制出冷饮，歌伎们除去嫩藕的白丝，准备食用。此时，天上乌云翻滚，要下解暑的暴雨了，这难道是雨在催人作出一首诗吗？

携妓纳凉晚际遇雨　其二[1]

杜甫

雨来沾席上[2]，风急打船头。
越女红裙湿[3]，燕姬翠黛愁[4]。
缆侵堤柳系[5]，幔卷浪花浮。
归路翻萧飒[6]，陂塘五月秋[7]。

【注释】

①本诗与上一首相承接，写贵公子游赏遇雨之后的情景。

②沾：打湿。

③越女：越地的美女，代指歌伎。

④燕姬：燕地的美女，代指歌伎。

⑤缆：系船的绳子。

⑥翻：却。萧飒：（秋风）萧瑟。

⑦陂塘：水塘。此指丈八沟。

【译文】

突然间从天而降的暴雨打湿了座席，风卷起的浪头拍打在船头上。歌女们鲜红的裙子都湿透了，她们的脸上流露出愁怨之情。人们连忙拢船靠岸，把缆绳系在堤岸旁边的柳树树干上，船上的帐幔被风雨吹打得不停地翻卷，水波起伏，浪花翻涌。雨后天气凉爽起来，回去的路上简直如秋风一样清冷，五月的丈八沟仿佛进入了萧瑟的清秋。

宿云门寺阁[①]

孙逖

香阁东山下[②]，烟花象外幽[③]。
悬灯千嶂夕[④]，卷幔五湖秋。
画壁余鸿雁，纱窗宿斗牛[⑤]。
更疑天路近[⑥]，梦与白云游。

【注释】

①云门寺阁：指云门寺内的阁楼，云门寺在浙江会稽（今绍兴）云门山上。

②香阁：指香烟缭绕的寺中阁楼，即诗人夜宿之处。东山：云门山的别名。

③象外：形象之外。

④千嶂：千山、群山。

⑤斗牛：泛指天空中的星群。斗是斗宿，牛是牛宿。

⑥天路：到达天庭的路。

【译文】

云门山下有一座云门寺阁，繁花盛开，烟雾缭绕，有一种超脱凡尘的意境。到了晚上，阁上悬挂的灯火好像可以照映群山。卷起帐慢，夜色如太湖秋水般明净。画壁上留存着鸿雁的痕迹，天上的繁星点点仿佛停留在了纱窗上。这样的景致让人怀疑：通往天庭的路就在附近，结果，当天夜里，我就梦见跟白云一起遨游天际。

秋登宣城谢朓北楼①

李白

江城如画里②，山晚望晴空。
两水夹明镜③，双桥落彩虹④。
人烟寒橘柚⑤，秋色老梧桐。
谁念北楼上⑥，临风怀谢公⑦。

【注释】

①谢朓（tiǎo）北楼：即谢朓楼，为南朝齐诗人谢朓出任宣城太守时所建，故址在陵阳山顶。谢朓是李白十分佩服的诗人。

②江城：泛指水边的城，这里指宣城。

③两水：指宛溪、句溪。宛溪上有凤凰桥，句溪上有济川桥。明镜：指拱桥的桥身与水中的倒影合成的圆形，仿佛明亮的镜子一样。

④双桥：指凤凰桥和济川桥。彩虹：指水中的桥影。

⑤人烟：人家里的炊烟。

⑥北楼：即谢朓楼。

⑦谢公：谢朓。

【译文】

宣城的美景像画中一样，山色渐晚，我登上谢朓楼远眺。宛溪、句溪上的凤凰桥和济川桥，它们的桥身与在水中的倒影合成的圆形，仿佛明亮的镜子一样，两座桥好像天上的彩虹降落人间。令人感到寒意的炊烟萦绕着橘林和柚林。秋色苍茫，梧桐叶纷纷枯黄飘落。除了我，还有谁会想着到谢朓北楼上来，迎着清冷萧飒的秋风怀念谢朓呢？

临洞庭[1]

孟浩然

八月湖水平，涵虚混太清[2]。
气蒸云梦泽[3]，波撼岳阳城。
欲济无舟楫[4]，端居耻圣明[5]。
坐观垂钓者，徒有羡鱼情[6]。

【注释】

①诗题一作《望洞庭湖赠张丞相》。张丞相：指张九龄。此诗表达了作者希望得到引荐的愿望。

②涵虚：包含天空，指天倒映在水中。涵，包容。虚，虚空，空间。混太清：与天融成一体。清，指天空。

③云梦泽：古时云泽和梦泽指湖北南部、湖南北部一带低洼地区。洞庭湖是它南部的一角。

④济：渡。楫：划船用具，船桨。

⑤端居：安居。耻圣明：有愧于圣明之世。

⑥徒：只能。

【译文】

秋季的八月，洞庭湖中的水势猛涨，几乎要漫过堤岸。水天浑然一色，云梦大泽水气蒸腾苍茫一片，波涛汹涌好像要撼动岳阳城。我想渡水却苦于找不到船和桨，在太平盛世，闲居无所事事的确让人感到十分羞愧。闲坐观看别人在水边垂钓，我只能白白怀着羡慕钓鱼人的心情。

过香积寺[1]

王维

不知香积寺，数里入云峰[2]。

古木无人径，深山何处钟[3]。
泉声咽危石[4]，日色冷青松[5]。
薄暮空潭曲[6]，安禅制毒龙[7]。

【注释】

①过：过访。香积寺：唐代著名寺院。

②入云峰：登上入云的高峰。

③钟：寺庙的钟鸣声。

④咽：呜咽。危石：高耸的崖石。

⑤冷青松：青松让人产生阴冷的感觉。

⑥薄暮：黄昏。曲：水边。

⑦安禅：指身心安然进入宁静的境界。毒龙：佛家比喻邪念，非分的想法和欲望。

【译文】

我不知道香积寺在什么地方，进山攀登了好几里山路，误入云雾缭绕的山峰。只见古木参天却不见人走的路径，深山里不知从何处传来古寺敲响的钟声。泉水从山上流下来，撞击在嶙峋的山石上，发出幽咽的响声，日光照射松林让人感到阴冷。黄昏时来到空潭隐蔽之地，安然地修禅抑制心中杂念。

送郑侍御谪闽中[1]

高适

谪去君无恨，闽中我旧过[2]。
大都秋雁少[3]，只是夜猿多。
东路云山合，南天瘴疠和[4]。
自当逢雨露[5]，行矣慎风波[6]。

【注释】

①侍御：官名，即侍御史，负弹劾纠举不法之责。郑侍御为高适的朋友。

②闽中：今福建地区。

③大都：大概。

④瘴疠：山林湿热地区流行的恶性疟疾等传染病。

⑤雨露：隐指皇恩。

⑥风波：比喻事物的变动。

【译文】

请不要怨恨自己被降职调遣到偏远的地方去，闽中这个地方我以前也曾到过。那里很少有秋天的雁鸟，但是夜里可以听到猿猴的叫声。你由长安一路向东，一路上山峦起伏，白云缭绕，但往南又湿又热，常有瘴气和瘟疫。你一定很快就会重新承蒙皇上的恩泽，回到朝廷。一路上山高水远，多多保重。

秦州杂诗①

杜甫

凤林戈未息，鱼海路常难。
候火云峰峻②，悬军幕井干③。
风连西极动④，月过北庭寒⑤。
故老思飞将⑥，何时议筑坛⑦。

【注释】

①唐肃宗乾元二年（759）秋天，杜甫辞去华州司功参军的职务，开始了漂泊的艰苦历程。他从长安出发，首先到秦州（今甘肃天水）。在秦州期间，他先后用五律形式写成二十首诗，统题为《秦州杂诗》，这是其中的一首。诗作表达了诗人对当时战乱造成社会动荡不安的焦虑。

②候火：烽火。云峰峻：这里形容烽火猛烈，情况紧急。

③悬军：孤军深入。幕井：有井盖的井。

④西极：西方极远的地方，这里指西北边境。

⑤北庭：唐代设北庭都护府，在今新疆。

⑥故老：边城的百姓。飞将：汉代名将李广，被匈奴称为“飞将军”。

⑦筑坛：筑坛拜将。汉高祖刘邦曾斋戒设坛场，拜韩信为大将军。

【译文】

风林关的战乱尚未平息，鱼海道路艰险，兵马经过十分困难，战事十分紧急，形势也极为严峻。孤军深入到敌军控制的范围，处境十分困难。北风猛烈地吹着，西部边境也好像在飘摇之中。萧瑟的边疆在明月清辉的照射下，更显得寒冷。英勇善战的飞将军李广多么让人思念呀，但筑坛拜将的事又得等到何时呢？

禹庙①

杜甫

禹庙空山里，秋风落日斜②。
荒庭垂橘柚③，古屋画龙蛇④。
云气生虚壁⑤，江声走白沙⑥。
早知乘四载⑦，疏凿控三巴⑧。

【注释】

①禹庙：指建在忠州临江县（今重庆忠县）临江山崖上的大禹庙。

②落日斜：形容夕阳斜照的样子。

③橘柚：典出《尚书·禹贡》，禹治洪水后，人民得以安居乐业，东南岛夷之民将丰收的橘柚包好进贡给禹。

④龙蛇：指壁上所画的大禹驱赶龙蛇治水的故事。

⑤虚壁：空旷的墙壁。

⑥江：指禹庙所在山崖下的长江。

⑦四载：传说中大禹治水时用的四种交通工具：水行乘舟，陆行乘车，山行乘樏（登山的用具），泥行乘橇（形状如船但比船短小，两头翘起，人可踏在

千家诗

上面在泥中滑行）。

⑧三巴：东汉末年刘璋分蜀地为巴东郡、巴郡、巴西郡。传说此地原为大泽，禹疏凿三峡，把大水排尽，成为陆地。

【译文】

为纪念大禹而修建的庙宇坐落在幽静的山谷中，在飒飒秋风里，夕阳斜照在大殿上。荒芜的庭院杂草丛生，院中的树上结满了橘子和柚子。墙壁上可以看到残留着的大禹治水的画像。他当年治水时，开凿的石壁上云雾弥漫，洪水的波涛声一浪高过一浪，大水向东奔流。早就听说大禹曾水行乘舟，陆行乘车，山行乘樏，泥行乘橇，乘坐四种交通工具，辛劳奔波治理洪水灾害，开山凿壁，疏通河道，使长江之水顺畅地东流入海。

望秦川①

李颀

秦川朝望迥②，日出正东峰。
远近山河净③，逶迤城阙重④。
秋声万户竹，寒色五陵松。
有客归欤叹⑤，凄其霜露浓⑥。

【作者简介】

李颀（690—751），赵郡（今河北赵县）人。唐代诗人。擅长写五言古诗和七言歌行，多为边塞题材。

【注释】

①秦川：泛指今秦岭以北平原地带，指长安一带。诗人罢职之后出长安过秦川时所作。写出了帝都的壮丽、秦川的萧瑟，表达了自己的惆怅。

②迥：遥远。

③净：明洁。

④逶迤：连绵不断。重：重叠。

⑤归欤（yú）：归去吧。

⑥凄其：寒冷的样子。

【译文】

清晨，我向东回头望去，离秦川已经很远，太阳冉冉升起。天气晴朗，远处的山水明净清幽，长安城宏伟壮丽。秋风吹起，竹林发出萧瑟的响声，五陵附近的松树林也蒙上一层肃穆幽深的色彩。我发出了归去的感叹，这里寒冷难耐，还是回去吧。

同王征君洞庭有怀①

张谓

八月洞庭秋，潇湘水北流。
还家万里梦，为客五更愁。
不用开书帙②，偏宜上酒楼③。
故人京洛满④，何日复同游。

【作者简介】

张谓，字正言，怀州河内（今河南沁阳）人。唐代诗人。擅长五言、七言律诗，诗风清新生动。

【注释】

①王征君：姓王的征君，名不详。征君，对不接受朝廷征聘做官的隐士的尊称。

②书帙（zhì）：书卷。

③偏宜：只适宜。

④京洛：京城长安和洛阳。

【译文】

八月的洞庭湖，潇水和湘水缓缓向北汇入洞庭湖，此时已是一派秋天的景象。思念故乡却不能回去，只能在千里之外做着回乡的美梦。飘零的游子在五更梦醒，更让人觉得忧伤和惆怅。不想打开书套，而是想登上酒楼，靠畅饮解我心中的愁闷。我的亲友都在长安和洛阳，什么时候能见到他们，和他们一起畅游呢？

渡扬子江①

丁仙芝

桂楫中流望②，空波两畔明③。
林开扬子驿④，山出润州城⑤。
海尽边阴静⑥，江寒朔吹生⑦。
更闻枫叶下，淅沥度秋声⑧。

【作者简介】

丁仙芝，一作丁先芝，字元贞。唐代诗人。《全唐诗》录有他的诗十四首，多为交友旅游之类的作品。

【注释】

①扬子江：长江因为有扬子津渡口，所以从隋炀帝时起，南京以下的长江水域被称为扬子江。近代则通称长江为扬子江。

②桂楫：用桂木做成的船桨，指船只。中流：渡水过半，指江心。

③空波：宽阔的水面。明：清晰。

④扬子驿：即扬子津渡口边上的驿站，在长江北岸。在今天江苏江都。

⑤润州城：在长江南岸，与扬子津渡口隔江相望。在今天江苏镇江。

⑥边阴静：指海边阴暗寂静。

⑦朔吹：指北风。

⑧淅沥：指落叶的声音。度：传过来。

【译文】

乘坐的船行驶到扬子江江心的时候，我举目远眺，只见江水平静，两岸的景色历历在目，倒影清晰地映射在宽阔而平静的水面上。扬子驿坐落在树林里，而对面的润州城耸立于群山之中。江的入海口处十分平静，北风在江面上吹起了阵阵寒意。在枫叶飘落的萧索声中，人们感到了秋天的气息。

幽州夜吟①

张说

凉风吹夜雨，萧瑟动寒林。
正有高堂宴②，能忘迟暮心③。
军中宜剑舞④，塞上重笳音。
不作边城将，谁知恩遇深。

【注释】

①这首诗作于玄宗开元六年（718），诗人自712年罢相，被贬出京，久不得还，心中十分抑郁。此诗写在幽州与守边将士宴饮，借萧瑟的秋天景色，悲凉的乐声，表达自己心中的沉闷与慨叹。幽州：古州名。辖今北京、河北一带，治所在蓟州区。

②高堂宴：在高大的厅堂举办宴会。

③迟暮心：因衰老而感伤的心情。

④剑舞：舞剑。

【译文】

幽州地处北部边塞，夜晚凉风习习，还飘落起绵绵夜雨。秋天的寒气袭来，树叶在寒风中纷纷凋落。军中正在举行盛大的宴会，让我暂时忘掉了自己功业未成，年华已逝的感伤。军中宴饮时常以舞剑作为娱乐，用胡笳演奏的音乐悠远苍凉。如果我不担任这边塞的将领，怎么能知道皇上对我的恩遇呢？